Designed by 'Firefiy'

New
단편영상
기획 및 제작 김대용

단편영상 기획 및 제작(개정판)

발　행 | 2024년 5월 10일
저　자 | 김대용
펴낸이 | 한건희
펴낸곳 | 주식회사 부크크
출판사등록 | 2014.07.15.(제2014-16호)
주　소 | 서울특별시 금천구 가산디지털1로 119 SK트윈타워 A동 305호
전　화 | 1670-8316
이메일 | info@bookk.co.kr

ISBN | 979-11-410-8361-8

www.bookk.co.kr

추천사

- 영상 제작의 모든 것, '단편영상 기획 및 제작' -

영상 제작에 첫 발을 내딛는 이들에게 '단편영상 기획 및 제작'은 길잡이가 되어줄 수 있는 책입니다. 이 책은 단편영상을 만드는 데 필요한 기획부터 제작, 후반작업에 이르기까지의 전 과정을 상세하게 다루고 있습니다.

저자는 영상 제작의 기술적인 측면뿐만 아니라, 창의적인 스토리텔링의 중요성을 강조하며, 독자들이 자신만의 이야기를 영상으로 표현할 수 있도록 돕습니다. 이 책은 다음과 같은 내용을 포함하고 있습니다:

1. 기획 단계 : 영상의 아이디어를 구체화하는 방법, 기획서 작성, 스토리보드 개발 등 기획 단계의 모든 것을 포함합니다.

2. 제작 단계 : 카메라 운용, 촬영 기법, 사운드 및 조명 설정 등 실제 영상을 촬영하는 데 필요한 기술적 지식을 제공합니다.

3. 후반작업 : 편집, 색채 조정, 사운드 믹싱 등 영상을 완성하는 후반작업에 대한 지침을 담고 있습니다.

이 책은 영상 제작에 관심이 있는 학생, 취미로 영상을 만들고 싶은 이들, 그리고 전문 영상 제작자를 꿈꾸는 모든 이들에게 유용한 자료가 될 것입니다. 특히, 실제 제작 현장에서 필요한 실용적인 팁과 지침을 제공함으로써, 독자들이 실제로 영상을 제작해보는 데 큰 도움이 될 것입니다.

단편영상 제작에 관심이 많은 분들에게 이 책은 영상 제작의 기본을 다지고, 창의적인 아이디어를 실현하는 데 필요한 실질적인 안내서가 될 것입니다. '단편영상 기획 및 제작'은 영상 제작의 모든 단계를 이해하고 싶은 이들에게 강력히 추천하는 책입니다.

- Generative Pre-trained Transformer -

Designed by 'Copilot'

머리말

바야흐로 영상시대다.

넘쳐나는 영상의 홍수 속에서 많은 영상들이 만들어지고 사라진다.

요즘 시대는 말이나 글보다도 한 장의 사진이나 동영상이 더 빨리 많은 사람들로부터 회자되어 지곤 한다.

시대를 반영하듯 요즘 아이들은 글보다도 더 일찍 영상에 친숙해진다.

필자의 아이들도 4세가 되었을 때부터 주변 사람들의 도움 없이 카메라를 켜서 사진을 찍고 본인들이 찍은 사진을 보며 즐거워하는 모습을 종종 보곤 했다.

이처럼 영상은 더 이상 특별한 지식을 가진 사람들만의 전유물이 아니라 대부분의 사람들이 쉽게 접할 수 있고 다룰 수 있는 기본적인 의사소통의 수단이 되었다.

몇 세기를 거슬러 올라가 보면 몇몇 사람들만의 전유물이었던 글이 대중들 속에 전파되고 대부분의 사람들이 글을 읽고 자신들의 생각을 글로 표현할 수 있었을 때, 사회와 문화에서 엄청난 변화가 일어났던 것처럼 이제 영상은 일반인들이 글과 같이 쉽게 자신의 생각을 표현하는 중요한 수단이 되어가고 있다.

하지만 모든 사람들이 글을 읽고 쓸 수 있다고 해서 모든 사람들이 좋은 글을 쓸 수 있는 것이 아닌 것처럼 영상 또한 쉽게 다룰 수 있다고 해서 좋은 영상을 만들 수 있는 것은 아니다.

글이 보편화된 후에 좋은 글을 쓰기 위한 교육이 중요해진 것과 마찬가지로 영상의 홍수 속에서 영상제작 교육 또한 어느 시기보다 더욱 중요한 시기라고 할 수 있다.

영상제작은 제작자들이 가지고 있는 모든 지식과 경험을 총동원하여 기획, 촬영, 편집 등의 과정을 거쳐야 하므로 많은 시간과 기술, 노력을 요구하는 고된 작업이다. 하지만 힘든 과정을 거쳐 만족스러운 결과물들이 만들어진다면 그동안의 고생이 기쁨으로 바뀌는 희열을 경험할 수도 있을 것이다.

필자는 다년간 대학교에서 영상제작실습 수업을 지도하면서 학생들에게 기획부터 제작에 이르기까지 다양한 단편영상 제작을 지도하고 있다.

처음 영상을 제작하는 대부분의 학생들은 많은 기대와 관심으로 영상제작을 시작한다. 하지만 생각보다 영상을 만드는 것이 쉽지 않음을 깨닫고 많이 힘들어하곤 한다. 그래도 다행히 대부분의 학생들은 끝까지 포기하지 않고 마침내 인고의 결실을 만들어 낸다.

필자는 이러한 과정을 통해 얻은 결과물들과 제작 경험들을 영상제작을 배우는 학생들과 공유하고자 이 책을 쓰게 되었다.
또한 처음 영상제작을 접하는 학생들에게 꼭 필요한 부분만을 정리하여 알기 쉽게 설명하고자 하였다.

부디 이 책을 기본으로 해서 자신의 생각을 말이나 글이 아닌 영상으로 표현할 수 있는 진정한 영상쟁이로 거듭나길 바란다.

끝으로 이 책을 쓸 수 있게 도와주신 경인여대 교수님들과 제자들, 사랑하는 가족에게 감사한 마음을 전한다.

2024년 5월

김대용

차례

3. 제작(Production) 105

Designed by 'Playground AI'

1. 영상

영상은 사전적으로 스크린이나 TV 등의 화면에 나타나는 모습이라고 정의된다. 또한 카메라 렌즈를 통해 광학적으로 저장된 물체의 상(Image / Picture)을 의미하기도 한다.
넓은 의미에서 영상은 카메라를 통해 저장된 영상뿐만 아니라 사람의 손이나 컴퓨터로 만들어지는 이미지나 기호도 영상이라고 할 수 있다.

1) 영상의 움직임에 따른 분류

영상은 움직임에 따라 **정지영상**과 **동영상**으로 나눌 수 있다.

(1) 정지영상

정지영상은 글자 그대로 움직이지 않는 영상을 의미하며 사진, 그림, 글, 기호 등이 이에 해당 된다.

<사진>

<그림 / 로이 리히텐슈타인>

<글>

<기호 / 픽토그램>

(2) 동영상

동영상은 움직임을 갖는 모든 영상을 의미한다.

TV에 나오는 모든 영상들과 영화, UCC 등이 이에 해당 되며 TV나 영화로 제작된 영상물을 컴퓨터를 통해 볼 수 있도록 만든 영상물과 컴퓨터를 이용해 제작된 영상물 또한 동영상이라고 한다.

2) 영상의 길이에 따른 구분

명확한 구분은 없지만 보통 영상의 길이에 따라 30분 이하의 영상을 단편영상이라 하고 단편과 장편의 중간쯤 되는 시간(30분-60분)을 중편이라 하며 1시간 이상 되는 영상을 장편영상이라 한다.

최근에 인기를 끌고 있는 숏폼 영상은 15초에서 10분 이내의 짧은 영상을 의미하며 주로 60초 내외로 제작된다.

단편영상이나 장편영상이나 영상을 제작하는 데 있어서 기본적인 제작 방법 (기획-제작-후반작업)은 같다고 할 수 있으나 영상의 종류와 길이에 따라서 접근 방법은 조금씩 달라야 한다.

예를 들어 단거리 달리기와 장거리 달리기는 같은 육상 종목이지만 단거리 달리기에서 사용되는 호흡법이나 전략은 장거리 달리기와는 다소 다를 것이다. 이와 마찬가지로 단편영상은 시간이 짧은 만큼 장편영상과는 접근 방법이 달라야 한다.

단편영상은 짧은 시간 안에 제작진들이 하고 싶은 이야기를 설득력 있는 어조로 분명히 전달해야만 한다.

3) 영상을 만들기 위해 필요한 요소

요리를 만드는 과정과 영상제작 과정은 유사한 점이 많이 있다.

좋은 요리를 만들기 위해선 기본적으로 필요한 것이 3가지 있다.

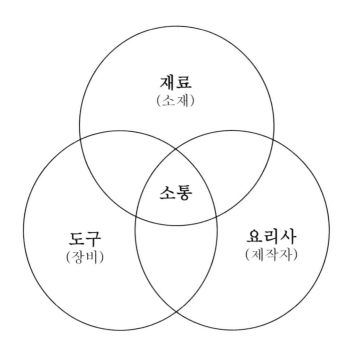

첫째는 재료이다.

음식을 만드는 데 있어서 재료는 가장 기본이 되는 요소이다.

재료는 구하기 힘든 것도 있고 구하기 쉬운 것도 있다.

예를 들어 꽃등심과 김치가 있다면 둘 중 어떤 재료가 더 구하기 힘든 재료인가? 이 재료를 이용해 손님을 대접한다면 어떤 재료를 사용할 것인가? 개인의 기호 차이는 있겠지만 대부분의 사람들은 아마도 꽃등심을 선택할 것이다.

그렇다면 왜 그럴까? 먼저 꽃등심이란 재료는 김치에 비해 값이 비싸다. 그러면 왜 값이 비쌀까? 구하기 힘들기 때문이다. 즉 평범한 재료가 아니기 때문이다.

구하기 힘든 재료를 가지고 음식을 만든다면 만드는 사람의 기술이 좀 서툴더라도 꽤 괜찮은 요리를 만들 수 있을 것이다.

하지만 평범한 재료를 가지고 어설프게 만든 음식이라면 사람들의 반응은 신통치 않을 것이다.

물론 평범한 재료를 가지고 맛있는 요리를 만들 수도 있다. 평범하지만 특별하게 만드는 것도 가능하다. 하지만 평범한 재료를 가지고 특별하게 만드는 것은 요리사의 기술과 노하우가 매우 중요한 변수로 작용할 것이다.

이러한 재료는 영상을 만드는 데 있어서 **소재**를 의미한다.
흔하지 않으면서도 사람들의 관심을 불러일으킬 수 있는 소재의 선정이야말로 영상을 만드는 데 있어서 매우 중요한 부분이라고 할 수 있다. 하지만 정말로 좋은 소재는 대부분 다른 누군가가 영상으로 만들었거나 학생들이 만들기에는 다소 버거운 소재일 수도 있다.

따라서 학생들의 능력에 맞는 적합한 소재를 찾는 것이 필요하다. 현실화할 수 있으며 재미나 의미가 있는 그런 소재를 찾아야 한다. 또한 방송국에서 제작하기에는 소소한 것들 중에서 의미가 있는 소재를 찾아야 한다.

세상에 널린 게 소재인 만큼 소재의 선택은 쉬울 수도 어려울 수도 있다.

둘째는 도구이다.
요리사가 원하는 요리를 만드는 데 있어서 주방도구는 매우 중요한 요소이다. 좋은 재료가 준비되더라도 재료에 적합한 주방도구가 없다면 요리사가 만들고자 하는 음식을 만들기 힘들 것이다.

이러한 도구는 영상을 만드는 데 있어서 **장비**를 의미한다.
촬영장비와 편집장비가 이에 해당된다. 촬영장비라 하면 카메라와 조명 등을 의미하고 편집장비라 하면 컴퓨터와 편집프로그램 등을 의미한다.

제작자가 좋은 소재와 이를 표현하는데 적합한 장비를 가지고 있다면 자신의 생각이나 주제를 마음껏 표현할 수 있을 것이다.

셋째는 요리사이다.
좋은 음식을 만들기 위해서 요리사는 가장 중요한 요소이다.
위에서 언급한 음식 재료와 요리 도구가 아무리 비싸고 좋다고 하여도 이를 가지고 요리하는 요리사의 실력이 부족하다면 좋은 요리를 만들어 내긴 힘들 것이다. 하지만 재료가 평범하고 도구가 특별하지 않아도 요리사의 실력이 뛰어나다면 꽤 괜찮은 요리를 만들 수 있을 것이다.
물론 실력 있는 요리사가 좋은 재료와 좋은 도구를 가지고 있다면 그 요리
는 분명 훌륭한 요리가 될 것이다.

이러한 요리사는 영상을 만드는 데 있어서 **제작자**를 의미한다.
실력 있는 제작자가 좋은 소재와 좋은 장비를 가지고 영상을 만든다면 좋은
영상을 만들 수 있을 것이다.

TIP.<영상제작 역할에 따른 제작자(스태프)의 구분>

> ## 1. 연출자(감독)
> 흔히 방송에서는 연출자를 PD라고 부르고 영화에서는 감독(Director)이라
> 고 부른다. PD는 Producer(제작자)의 약자이기도 하지만 Producer and
> Director 또는 Program Director의 약자이기도 하다. 보통 방송에서 PD
> 는 Producer and Director를 의미한다.
> 방송에서는 한 명의 PD가 제작과 연출을 함께 하는 경우가 많이 있지만
> 영화제작에서는 제작자(Producer)와 연출가(Director)가 명확히 구분돼 있
> 다. PD는 영상제작 시 전반적인 과정을 진두지휘하는 역할을 한다.
> ## 2. 촬영감독
> 촬영팀의 총책임자이며 연출자와 끊임없는 의사소통을 통해 스토리에 적
> 합한 샷과 렌즈를 선택하고 촬영하는 역할을 한다.
> ## 3. 조명감독
> 조명팀의 총책임자이며 연출자, 촬영감독과 협의하여 영상에 적합한 조명
> 을 설치, 관리하는 역할을 한다.
> ## 4. 편집감독
> 연출자와 충분한 대화를 통해 촬영된 영상을 기획의도대로 선택, 배열, 집
> 중, 수정하여 주제를 잘 표현하는 역할을 한다.
> ## 5. 기타 스태프
> CP(Chief Producer), 작가, 기획자, 기술감독, 무대감독, 음향감독, 스크립
> 터, 의상 등

넷째는 소통이다.
좋은 소재와 장비가 있을지라두 팀원들과의 소통이 부족하다면 완성두 있는
영상을 만들기 힘들 수도 있다.
영상제작은 대부분 팀으로 운영되기 때문에 팀원들 간의 아이디어 공유와 소

통은 매우 중요하다. 자신의 생각을 팀원들에게 정확히 전달함과 동시에 팀원들의 생각 또한 적절히 인식해야 한다. 자신과 생각이 다른 팀원들에게 자신의 생각을 논리적으로 설득해야 하며 팀원들의 능력과 상황을 고려해서 역할을 분배해야 한다. 소통이 잘되는 팀은 완성도가 높은 영상을 만들 수 있는 확률이 올라간다.

사람들은 말이나 글, 몸짓, 표정 등 다양한 방법으로 자신들의 감정과 생각을 표현하여 의사소통을 한다. 효과적인 의사소통을 위해서는 명확하고 간결한 언어를 사용하고 비언어적인 신호와 표현에 대해 주의해야 하며, 상대방의 의견을 경청하고 이해하려고 노력해야 한다. 또한 상황에 따라 적절한 커뮤니케이션 방식을 선택하는 것도 필요하다.

4) 영상을 만들기 전에 고려사항

내가 만들고자 하는 영상이 **재미**나 **의미**가 있어야 한다. 아무리 열심히 만들었어도 재미나 의미를 줄 수 없는 영상은 보는 사람들에게 별 볼 일 없는 영상일 뿐이다.
재미가 있다는 말은 문자 그대로 특별한 의미가 없어도 보는 사람들에게 즐거움을 줄 수 있는 영상을 의미한다.
의미가 있다는 말은 영상의 내용에 정보나 감동, 교훈, 풍자, 주제의식 등이 있어야 한다는 것을 의미한다.

이러한 재미나 의미가 있는 이야기들을 효과적으로 전달하기 위해서는 <u>**스토리텔링**</u> 능력이 매우 중요하다.

5) 스토리텔링(Storytelling)

스토리텔링(Story+Telling)은 문자 그대로 이야기를 말하는 것이다.

대부분의 사람들은 이야기를 말하고 글을 쓸 줄 안다. 하지만 그렇다고 해서 모든 사람이 말을 잘 하고 좋은 글을 쓸 수 있는 것은 아닌 것처럼 단순히 촬영을 하고 편집을 할 수 있다고 해서 모든 사람이 좋은 영상을 만들 수 있는 것은 아니다.

영상을 만드는 사람들은 자신이 하고자 하는 이야기를 글이나 말이 아닌 영상으로 사람들에게 <u>소구</u>하는 것뿐이지 기본적인 구조는 같다고 할 수 있다.

TIP.<소구>

> 영상제작에서 소구(appeal)란 자신의 생각이나 가치관을 상대방에게 설명하기 위해 특정 장면을 강조해 보여주는 것을 의미한다.

이야기에는 재미있는 이야기, 무서운 이야기, 슬픈 이야기, 감동적인 이야기 등 다양한 종류의 이야기가 있다. 이러한 이야기는 이야기의 종류에 따라 말하는 속도와 억양, 분위기가 달라야 이야기의 재미를 더 할 수 있다.

예를 들어 재미있는 이야기를 너무 무겁게 한다든지 무서운 이야기를 너무 밝은 목소리로 이야기하면 이야기의 재미가 반감될 것이다.

또한 같은 이야기를 말한다 하더라도 이야기를 누가, 어떻게, 누구를 대상으로, 어떤 상황에서, 어떠한 목소리로 이야기하느냐에 따라 듣는 사람들의 반응은 다를 수 있다. 어떤 사람들은 흥미가 있어 하고 어떤 사람들은 흥미를 못 느낄 수도 있다.

이와 같이 이야기의 내용에 따라 말하는 방법과 형식이 달라져야 하는 것처럼 영상을 만드는 데 있어서도 내용과 주제에 따라 스토리텔링 방법이 달라야 한다.

좋은 스토리텔러(Storyteller)가 되기 위해서는 먼저 잘 만들어진 영상을 보고 분석을 하는 습관을 키워야 한다. 잘 만들어진 영상을 보고 체계적으로 분석을 하는 것은 매우 중요한 일이다. 분석, 비평을 하면서 자연스럽게 스토리텔링의 기본을 알 수가 있기 때문이다. 이러한 훈련을 기초로 해서 영상을 만든다면 더 좋은 영상을 만들 수 있을 것이다.

또한 다양한 영상을 분석함과 동시에 다양한 이야기를 만들어보는 훈련이 필요하다. 모든 사람이 글을 쓰고 읽을 줄 알지만 좋은 글을 쓰는 것은 별개의 문제다. 좋은 글을 쓰는 능력을 타고난 사람도 있지만 대부분의 사람들은 훈련을 통해서 좋은 글을 쓰는 능력을 키울 수 있다. 다른 사람들의 글을 보고 분석, 비평하고 어떻게 쓸지 고민하고 직접 써본 사람은 그렇지 않은 사람보다 더 좋은 글을 쓸 수 있을 것이다.

영상을 만드는 사람들도 마찬가지로 사람들이 어떤 영상물들을 관심 있게 보는지 찾아내어 분석하고 비평하면서 이야기를 만드는 훈련을 해야 한다.

그러면 어떠한 영상을 보고 분석하는 것이 좋은가?
막상 영상을 분석하고자 하여도 너무 많은 영상물들이 존재하기 때문에 어떤 영상을 골라야 할지 혼란스러울 때가 있다. 일단 사람들이 많이 보는 영상물 중에서 하나를 고르는 것이 좋다. 사람들이 많이 본다는 것은 영상물이 담고 있는 내용의 좋고 나쁨을 떠나서 무엇인가 이유가 있어서이다.
물론 시청률이 좋다고 해서 다 작품성이 있고 좋은 영상물은 아니다. 그러므로 시간적으로 여유가 없을 때는 현재 상영되는 영상물만을 고집하지 말고 조금은 시간이 지났어도 평판이 좋았거나 많은 사람들이 관람했던 영상물을 보는 것도 좋은 방법 중 하나이다. 수상 실적이 좋은 드라마나 영화 등도 좋은 연구 대상이 될 수 있다.

가급적이면 초보자들에게 드라마보단 영화를 보고 구성안을 작성해 보길 권한다. 좋은 드라마가 많이 있기는 하지만 영화에 비해 많은 시간을 소모해야 하고 복잡한 인과 관계를 가지므로 초보자들이 분석하기에 쉽지 않다.
따라서 기승전결이 분명하고 적은 시간으로 스토리텔링을 공부하기엔 영화가 적합하다고 할 수 있다.
또한 단편영상을 보고 분석하는 것도 스토리텔링 능력을 키우는 데 있어서 매우 중요한 방법 중 하나이다.
영화나 드라마 분석이 기본적인 스토리텔링 능력을 키워준다면 단편영상 분석은 실질적으로 영상제작을 하는 학생들에게 기본적인 방향을 제시해 준다. 아이디어의 발상이나 제작과정을 짧은 시간 동안 시청하고 분석하는 게 가능하며 짧은 시간 동안 다양하고 많은 영상들을 볼 수가 있다.

그리고 이러한 분석의 과정들이 끝난 후에 영상을 제작하고자 하는 학생들은 처음부터 자신만의 개성 있고 독창적인 영상을 만들려고 하기보다는 먼저 기존의 영상들을 응용하고 모방하는 방법으로 영상을 만들어 보는 것이 필요하다. '모방은 창조의 어머니'란 말이 있듯이 다른 사람들이 제작한 영상을 참고해서 영상을 만드는 것은 결코 부끄러운 일이 아니다. 하지만 이러한 습득의 과정을 거친 후에는 자신만의 개성과 주제의식이 담긴 영상을 만드는 것을 궁극적인 목표로 삼고 열심히 제작과정에 매진해야 할 필요가 있다.

6) 영상제작 과정

영상제작 과정은 크게 기획(Pre-Production), 제작(Production), 후반 작업
(Post-Production)으로 나눌 수 있다.

기획은 제작을 준비하는 단계로써 기획서 작성, 촬영준비 등을 하는 단계이
며 제작은 기획단계에서 준비한 기획서를 바탕으로 실내나 실외에서 카메라
를 이용해 촬영하는 단계이다. 후반작업은 촬영된 영상을 편집, 추가촬영 등
의 과정을 거쳐 영상을 완성하는 단계이다.

2. 기획(Pre-Production)

기획은 제작을 준비하는 단계로써 기획서 작성, 촬영준비 등을 하며 무엇을 어떻게 제작할 것인지를 결정하는 단계이다. 영상제작과정에서 제일 중요한 단계이므로 제작자들은 충분한 대화를 통해 다양한 변수에 대해 생각해 봐야 한다.

1) 기획

기획은 건물을 짓는 설계도와 같다.

잘못된 설계도를 보고 건물이 지어졌다면 그 건물은 많은 문제들이 발생할 것이다. 마찬가지로 잘못된 기획안을 기초로 해서 영상이 만들어진다면 사람들에게 의미 없는 영상으로 남게 될 것이다.

또한 아무리 잘 준비된 기획서라 할지라도 지금 자신의 위치와 능력, 예산, 기술, 환경 등을 고려하지 않는다면 현실화 시키는데 어려움이 있을 것이다.

실제로 방송국에서 만들어진 기획서는 전문적인 학습과 경험을 바탕으로 작성된 기획서이므로 그 정도의 기획서를 학생들이 만든다는 것은 사실상 쉽지 않을 것이다.

따라서 잘 만들어진 기획서를 참고하면서 현재 학생들의 위치와 능력에 맞는 기획서 작성이 필요하다고 할 수 있다.

<기획 시 고려사항>
(1) 사회적으로 이슈(논쟁거리)가 되는 주제인가?
　 이 시대의 트렌드(유행/현상)가 무엇인가?
　 사람들이 관심 있어 하는 것이 무엇인가?
(2) 소재나 주제는 신선한가?
(3) 재미나 의미가 있는가?
(4) 영상화할 수 있는가? 촬영이 가능한가?
(5) 사건이나 이야기가 있는가?
(6) 예산은 충분한가?

2) 기획서 작성방법

기획서 작성방법은 영상의 종류와 제작 환경에 따라 약간씩 다른 형식을 가지고 있다. 필요에 따라서 여러 가지 항목들을 추가할 수 있다.

대부분의 기획안 양식에는 육하원칙(누가, 언제, 어디서, 무엇을, 어떻게, 왜)이 기본적으로 설명돼야 하고 경우에 따라서는 영상의 길이(How Long), 예산(How much), 느낌(How Feel) 등이 추가될 수 있다.(5W 4H)

여러 가지 기획서 작성방법들 중에서 팀원들 간의 아이디어를 공유하는 차원에서 간략히 작성하는 **1차 기획안**과 이를 좀 더 자세하게 기술한 **2차 기획안**을 예로 들 수 있다.

1차 기획안에 들어갈 내용들은 제목, 소재, 주제(또는 기획의도), 줄거리(또는 주요 내용), 영상소구점, 장르(또는 영상의 종류) 등이 포함되고 **2차 기획안**에는 구성안, 시나리오, 스토리보드(또는 콘티), 예산, 영상의 길이, 촬영 및 제작 계획서 등이 포함될 수 있다.

<1차 기획안>
제목
소재
주제(기획의도)
줄거리(주요 내용)
영상소구점
장르(영상의 종류)

<2차 기획안>
구성안
시나리오
스토리보드(콘티)
예산
영상의 길이
촬영 및 제작 계획서

3) 소재

우리 주변에 있는 모든 것들이 소재가 될 수 있다. 하지만 그중에서도 **재미**나 **의미**가 있는 소재를 찾는 것은 쉽지 않은 일이다.

앞서 말했듯이 제작자들은 시청자들에게 재미나 의미를 줄 수 있는 소재를 선택해야 한다. 아무리 많은 시간과 정성을 기울인다 하여도 시청자들이 공감하지 못하는 소재로 만든 영상은 의미 없는 영상일 뿐이다.

또한 좋은 소재를 찾는다 할지라도 누군가가 이미 영상화 했을 수도 있다. 그렇기 때문에 자신이 만들고자 하는 영상을 제작하기 전에 충분한 사전 조사가 필요하다. 힘들게 만들었는데 다른 사람이 제작한 영상과 매우 흡사하다면 난감한 상황에 처해질 수도 있다.

영화를 제작하는 사람들은 종종 '좋은 시나리오를 가지고 영화를 만들면 좋은 영화나 나쁜 영화가 만들어질 수는 있지만 나쁜 시나리오를 가지고 영화를 만들면 결코 좋은 영화는 만들어질 수 없다.' 라는 말을 하곤 한다.
마찬가지로 나쁜 소재로는 결코 좋은 영상이 만들어질 수 없다. 좋은 소재는 좋은 영상을 만들기 위해서 꼭 필요한 요소라 할 수 있다.

하나의 소재로는 특별한 의미가 없을 수도 있다. 하지만 다양한 소재들이 한데 이우러져 새로운 소재를 만들어 내기도 한다.
음식에 비유하자면 오징어 불고기 같은 음식을 예로 들 수 있다. 오징어라는 재료와 불고기라는 재료가 서로 어울려져서 새로운 요리를 만들어 내듯이 다양한 소재를 잘 조합함에 따라 새로운 주제로 표현될 수도 있다.
예) **디지털+아날로그(디지로그)**, 헌책+새 책(도시 속의 헌책 이야기),
　　게임+사랑(러브게임), 한옥+빌딩(공존, 도심 속의 처마)

따라서 소재를 선택할 때 신선한 단일 소재를 사용해서 영상을 만드는 것도 좋지만 소재들을 창의적으로 잘 배합해서 영상을 만드는 방법 또한 중요한 방법 중 하나이다.

<소재 예1 : DigLog(디지로그)>

제목	디지로그(디지털+아날로그)
소재	아날로그적인 감성을 가진 장소, 그 감성을 잊지 않는 사람들, 아날로그와 디지털의 공존
주제	디지털화된 시대가 왔지만, 아날로그 감성은 사라지지 않고 디지털과 이 시대를 공존하고 있다.
기획의도	디지털 시대를 살아가는 사람들은 왠지 모르게 그 편리함에서 만족을 누리지 못하고 오히려 회의적이다. 때때로 사람들은 아날로그 시대를 그리워한다. 디지털과 아날로그는 서로 다르지만, 그 다름을 서로 공유하고자 하는 시대를 보여주고자 한다.
줄거리	-프롤로그<아날로그 시대에서 디지털 시대의 도래> 한 소년이 종이에 연필을 들고 편지를 눌러 쓰고 있다. 행복한 표정을 짓고 있는 소년. 그 소년은 다 쓴 편지를 들고 우체통을 향해 가고 있다. 장면이 바뀌고 한 여자가 카페에서 노트북을 이용해 편지를 쓰고 있다. -서론<디지털 시대에 회의를 느끼는 사람들, 그리운 감성> 스마트폰으로 노래도 듣고 게임도 하고 책도 읽고 공부도 하고 영화도 보는 등 스마트폰으로 못하는 것이 없는 사람들. 일명 디지털의 노예들이다. 무엇이든지 쉽게 기계 하나로 작동이 가능한데 웬일인지 사람들은 지쳐 보인다. 직접 종이에 적는 시대는 지나가고 모두 컴퓨터나 핸드폰으로 메모를 하고 문서를 작성한다. 그런데 아이러니하게도 요새 스마트폰 기능 중 사람들이 선호하는 것은 터치펜이 포함된 스마트폰이다. 그런 스마트폰은 직접 손글씨로 메모할 수 있어서 아날로그적인 느낌이 포함되어 있다. 사람들이 점점 그리운 아날로그의 감성을 찾기 시작했기 때문이다. -사람들 인터뷰(편리한 디지털, 아쉬움이 있다면?) -윤세민 교수님 인터뷰 -본론<아날로그와 디지털 : 공존의 시작> 본론1) 아날로그와 디지털, 기기에서 만나다. -아이폰 아날로그 유선전화

	-스마트기기 노트 기능 -포켓포토 본론2) 아날로그와 디지털, 공간에서 만나다 -디브러리(국립디지털도서관) : 책 없이 디지털 기기로 책장을 넘기면서 책을 볼 수 있음. -혜화동사무소(주민센터) : 디지털화된 건물, 건축물 사이로 보이는 한옥. 본론3) 아날로그와 디지털, 음악에서 만나다 -USB턴테이블 : LP로 재생된 음악을 음원으로 저장하는 기계 -고훈준 교수님 인터뷰 -목동 '리틀 디제이' : 턴테이블 라이브 카페. LP음악 (인터뷰 포함) **-결론<아날로그 디지털, 공존이 주는 윤택함>** 아날로그와 디지털이 조화를 이루어 우리의 삶에 윤택함 둘 중 하나만 존재하는 것이 아니라 함께 존재할 때 그 시너지는 더해간다. -일반인 인터뷰 : 아날로그 디지털이 공존하는 현상에 대해 -윤세민 교수님 인터뷰 : 아날로그 디지털이 공존하는 현상에 대해 **-에필로그** 노트기능 : 스케치 된 글씨를 재생
영상소구점	아날로그와 디지털이 공존하고 있는 장소나 기기들을 보여주는 장면
장르	다큐멘터리

<소재(아이템)를 찾는 방법>

그렇다면 소재는 어떻게 찾을 수 있을까? 많은 방법들이 있겠지만 그중에서도 다음의 방법들을 고려해 볼 수 있다.

(1) 인터넷에 올라온 기사를 읽어보아라.

어느 매체보다 빠르고 다양한 소재들을 접할 수 있다. 하지만 정보의 정확성이 떨어지므로 사실 여부를 반드시 확인해 봐야 한다.

(2) 신문기사를 읽어 보아라.

인터넷보다는 한 박자 늦게 정보를 제공하지만, 보다 정확하고 정리된 소재를 구할 수 있다. 특히 사회면에는 일상생활에서 발생할 수 있는 다양한 소재거리가 많이 있다.

(3) 라디오의 사연을 들어 보아라.

라디오에는 재미있고 의미 있는 사연들이 많이 소개된다. 라디오에서 나오는 사연을 기초로 각색을 해보는 것도 좋은 방법 중 하나라 할 수 있다.

(4) 신간 서적을 읽어 보아라.

신간 서적은 동시대를 살아가는 사람들에게 있어서 가장 중요한 관심사가 무엇인지를 알 수 있는 방법 중 하나이다. 영화나 방송에서도 책을 기초로 해서 많은 영상물들이 만들어지고 있다.

(5) 동호회나 지역 모임을 관찰해 보아라.

동호회 모임을 자세히 살펴보면 사람들이 함께 어우러져 살아가는 다양한 모습들을 볼 수 있다. 동호회 사람들 간의 관계 속에서 다양한 소재를 얻을 수도 있고 동호회의 외부 활동을 통해서도 다양한 소재들을 얻을 수 있다. 아직 사람들에게 잘 알려지지 않은 동호회나 지역 활동을 보여주거나 또는 새로 만들어진 동호회나 새로운 지역 활동을 시청자들에게 소개해 주는 영상도 좋은 접근 방법 중 하나이다.

(6) 주변 사람들의 이야기를 들어 보아라.

주변 사람들과의 만남에서 우연히 들은 소소한 이야기들이 좋은 소재가 될 수도 있다. 가족이나 친구, 회사 동료들이 겪은 이야기나 그들이 만나는 사람들에게 전해 들은 이야기 등을 통해 생각지도 못한 좋은 아이디어를 얻을 수도 있다.

(7) 웹툰(Webtoon)이나 만화를 읽어 보아라

만화는 어린아이들만 본다고 생각하는 사람들이 많이 있으나 근래에 들어서는 성인들도 만화를 즐겨본다. 또한 스마트폰이 빠르게 보급됨에 따라 여가 시간을 이용하여 많은 사람들이 웹툰을 즐겨 본다.
몇몇 웹툰은 수십만 명의 방문자를 기록하고 있으며 영화나 드라마로도 제작되고 있다. 비현실적이고 판타지적인 웹툰도 많이 있으나 현실의 문제점이나 사회 현상들을 풍자적으로 표현한 작품들도 많이 있다.
이러한 **웹툰**을 통해서 다양한 경험과 소재들을 발견할 수 있을 것이다.

TIP.<웹툰(Webtoon)>

> 웹툰은 웹(Web)+카툰(Cartoon)의 합성어로 인터넷에서 연재하는 만화들을
> 의미한다.

<자료 수집>

소재(아이템)가 선정되면 선정된 소재가 촬영이 가능한지, 적합한 소재인지
검토하는 과정이 필요하다.
다양한 방법으로 자료를 수집하여 종합적인 판단을 해야 한다.

(1) 신문, 책, 잡지, 논문, 인터넷 검색 등을 통해 소재와 연관이 있는 자료
를 수집한다.
(2) 소재와 연관이 있는 기관이나 담당자에게 연락(전화, 이메일)을 취하거나
직접 찾아가 본다.
(3) 소재와 연관이 있는 영상물을 분석해 본다.
이미 누군가가 내가 선정한 소재로 영상물을 만들었다면, 기존의 영상물과
다르게 주제를 표현할 수 있는 방법을 찾아본다.
(4) 현장 답사 또는 전문가 인터뷰를 통해 소재의 적합성을 검토해 본다.

<소재 선정 시 고려사항>
(1) 신선한가?
(2) 공감할 수 있는가?
(3) 창의적인가?
(4) 재미있는가?
(5) 의미(감동, 교훈, 정보)가 있는가?
(6) 촬영이 가능한가?

4) 주제(기획의도)

주제는 여러 가지 소재를 통해 제작자들이 시청자들에게 전하고자 하는 주된 메시지를 의미한다.

기획의도는 제작자들이 영상을 기획한 이유를 구체적으로 설명하는 것을 의미한다.(이 영상을 만들고자 하는 이유는 무엇인가?)

<소재와 주제의 상관관계>

소재가 먼저냐, 주제가 먼저냐 하는 것은 정해진 게 없다. 소재를 정하고 주제를 정할 수도 있고, 주제를 정하고 소재를 정할 수도 있다.

예를 들어 냉장고 안에 있는 재료들을 보고 요리의 종류(한식, 양식, 중식 등)를 정할 수도 있고 반면에 요리의 종류를 정해놓고 그에 맞는 재료를 구하러 다닐 수도 있다.

진부한 소재는 호소력이 약하다. 그러나 소재가 진부할지라도 주제가 새롭다면 괜찮다. 마찬가지로 주제가 진부할지라도 소재가 새롭다면 충분히 작품화할 수 있다. 만약 소재와 주제가 진부하다면 제작 방법이라도 새로워야 한다.

소재는 바라보는 관점에 따라 주제가 여러 가지가 될 수도 있다.

예를 들어 911테러 사건이 소재라 하면 이를 어떤 관점에서 바라보는지에 따라 주제가 다양해질 수 있다. 테러 사건에 희생된 희생자들의 삶을 보여주는 이야기 / 희생자 가족들의 이야기 / 화재를 진압했던 사람들의 이야기 / 종교 갈등에 관한 이야기 / 사회 구조적인 문제점에 관한 이야기 등 하나의 소재에서 다양한 주제가 나올 수도 있다.

주제는 동일한데 소재가 달라질 수 있다.

예를 들어 '도심 속에는 옛것과 새것이 함께 공존한다.'를 주제로 하는 영상을 만든다면 장년들과 청년들의 공존, 디지털과 아날로그의 공존, **빌딩과 한옥의 공존**, **헌책과 새 책의 공존** 등 다양한 소재로 주제를 표현할 수 있다.

<주제 예1 : 공존, 도심 속의 처마>

제목	공존, 도심 속의 처마
소재	도심 속에 공존하는 빌딩과 한옥
주제	한옥의 아름다움을 보존하기 위해서는 '빌딩과 한옥의 공존'이 필요하다.
기획의도	소박하지만 아름다운 멋과 정겨움을 지니고 있는 한옥마을을 통해 한옥의 아름다움을 알리고, 하루가 다르게 급변하는 도시 속에서 우리의 전통가옥 한옥을 지켜야 한다는 것을 강조하기 위함이다.
줄거리	<서론> 바쁘게 살아가는 사람들과 도시 빌딩을 보여준다. <본론1> 한옥의 전경을 보여주며 북촌 한옥마을과 한옥을 소개한다. 외국인들에게 한옥을 보고 무엇을 느꼈는지 물어본다. 전문가에게 한옥의 가치에 대해 물어본다. <본론2> 한옥마을에서 살고 있는 사람들을 찾아가 한옥의 매력과 이곳에 살고 있는 이유에 대해 물어본다. <본론3> 한옥을 이용하여 식당과 갤러리로 활용하고 있는 곳을 찾아가 한옥의 매력과 한옥을 어떻게 현대적으로 사용하는지에 대해 물어본다. <결론> 밤이 깊어가는 한옥마을과 빌딩들을 보여주며 공존의 의미에 대해 생각해 본다.
영상소구점	외국 사람들의 인터뷰를 통해 한옥의 아름다움을 이야기 하는 장면
장르	다큐멘터리
구성안	[테마1] 도심 속의 공존 ◆ 도심 속 위치한 한옥마을을 소개. ■ 한옥 마을의 지리적 위치 -서울 종로구에 위치한 북촌 한옥마을 ■ 도심에 위치한 한옥의 가치 -한옥마을이 문화 특구로 지정된 이유. ■ 한옥 내부의 아름다움

	-아담한 마당과 창호지 문, 마루와 지붕의 곡선미
	[테마2] 한옥과 인간의 공존
	◆ 20년 이상 한옥마을을 한옥생활에 순응하며 살아온 인간의 모습
	■ 오랜 세월 한옥에서 살아온 이유
	■ 한옥에서 살아가는 그들의 일상
	■ 한옥 생활에 있어서 좋은 점과 불편한 점
	[테마3] 현대와 전통의 공존
	◆ 한옥을 지키기 위한 변화
	■한옥의 장점을 최대한 살리면서 현대적인 변화를 가미해 한옥의 불편함을 줄이고 누구나 편안하게 접할 수 있도록 변화하고 있는 한옥의 모습들
	- 한옥을 리모델링한 병원, 음식점, 공방

<주제 예2 : 도시 속의 헌책 이야기>

제목	도시 속의 헌책 이야기
소재	도시 속에서 공존하는 헌책과 새 책
주제	헌책과 새 책이 책장에서 공존하듯이 우리의 삶도 옛것과 새것이 함께 공존한다.
기획의도	도심 속에 위치한 헌책방과 대형서점을 통해 옛것과 새것이 함께 공존하는 우리의 모습을 그려본다.
줄거리	인쇄소 등에서 책이 만들어져 나오는 모습, 도시 속에서 바쁘게 움직이는 사람들의 모습이 보여 진다. 1. 새책과 헌책 2. 헌책방 안에 공존 3. 헌책 디지털을 만나다 4. 헌책 새옷을 입다 도시관 안의 책장과 책을 보고 공부하는 사람들을 보여준다. 헌책과 새책이 책장에서 공존하듯이 우리의 삶도 그렇게 공존한다.
영상소구점	4개의 단락이 병렬식 구조로 보여 진다. 간 단락마다 책장이 넘어가듯이 다음 단락으로 넘어가는 장면
장르	다큐멘터리

구성안	<서론> 제목이 나온 다음 인쇄소 등에서 책이 만들어저 나오는 모습, 도시 속에서 바쁘게 움직이는 사람들의 모습이 교차로 등장 <본론> 1. 새책과 헌책 대형서점(혹은 서점)에서 책을 고르는 사람들, 책을 보고 있는 사람들을 보여주면서 인터뷰를 한다. (인터뷰 질문) - 헌책방에 대해서 알고 있으신가요? - 가보셨다면 어디? 2. 헌책방 안에서 공존 헌책방 앞거리들, 조용하고 여유로운 거리 앞을 지나가는 사람들을 보여준다. 헌책을 정리해둔 모습, 헌책을 보고 있는 사람들, 책장 등을 보여준다. (헌책을 어떻게 정리를 해두었는지 질문) - 이 책들은 어떤 기준으로 정리가 되어있나요? 기준이 없기도 있기도 한 책장을 하염없이 바라보며 눈이 가는 대로 헌책을 고르고 읽고 있는 사람들을 보여주면서 인터뷰를 한다. (인터뷰 질문) - 헌책방에 대한 느낌은? ex) 원하는 책을 사기위해 간다기보다는 기분에 따라 책을 고르고 싶어서 - 깨끗한 책을 파는 서점도 있는데 헌책방까지 와서 책을 사는 이유가 무엇인가요? 주인아저씨에게 헌책방에 관해 이런저런 이야기를 듣고 인터뷰 (인터뷰 질문) - 헌책방을 운영하신 지 얼마나 되셨나요? - 새책 방이 아닌 헌책방을 운영하는 이유가 있으신지? - 요즘 헌책방에 사람들이 많이 오나요? - 어떤 사람들이 주로 오나요? 헌책을 사러 오는 젊은 사람들과 옛 기억을 떠올리며 책을 사러 오는 나이 든 사람들의 모습, 헌책방 안에서도 헌책 같은 새 책과 진짜 헌책이 공존하는 모습을 보여준다. 헌책이 새 주인을 만나는 또 다른 방법으로 인터넷 헌책방 3. 헌책 디지털을 만나다

단순히 골목에서 헌책을 파는 것에서 그치지 않고 온라인과 함께 헌책을 판매하는 신고서점

먼저 인터넷에서 책 주문이 들어오면서 책을 판매하는 과정을 보여준다.

(책방 주인에게 인터뷰)

- 온라인을 통해 헌책방을 열었을 때 어땠나요?
- 책은 어떤 식으로 판매를 하는 건가요?
- 온라인 판매 후 달라진 점은 무엇이 있나요?
- 사람들의 반응은?
- 구시대를 상징하는 헌책과 신세대를 상징하는 게 서로 공존하는 삶에 대해 어떻게 생각하시는지?

4. 헌책 새 옷을 입다

기증받은 헌책을 통해 나눔을 실천하는 아름다운 가게

옛것이 새 주인을 찾아 새것이 되고 새것이 옛것이 되는 것을 통해 공존을 의미

아름다운가게에 대한 소개 내레이션

책을 보고 있는 사람들, 아름다운가게 모습들을 촬영

직원들 인터뷰를 통해 아름다운 가게에 대한 이야기를 듣는다.

(인터뷰 질문)

- 이곳에서는 무슨 일을 하나요?
- 이 책들은 어디서 온 것인가요?

어린이 벼룩시장 촬영

아름다운가게에서 열리는 부가적인 행사 어린이 책 벼룩시장에 대해 이야기

직접 자신들의 헌책을 가지고 나와 파는 모습들을 촬영

책을 파는 사람에게 인터뷰

(인터뷰 질문)

- 책을 팔게 된 계기는?
- 아이들과 함께 하는 소감

<에필로그>

도서관 혹은 서점 안의 책장, 줌인 상태에서 줌아웃하면서 책을 보고 공부하는 사람들을 보여주면서

내레이션 - 여기에는 헌책도 새 책도 있다 그 둘이 모두 공존하듯 우리 삶도 그렇게 공존한다.

5) 줄거리

줄거리는 제작자들이 하고자 하는 이야기를 읽기 쉽고 이해하기 쉽게 요약해서 써야 한다. 짧은 글을 통해 설득력 있는 어조로 핵심적인 내용을 기술해야 하며 줄거리를 통해 제작자들의 의도를 분명히 알 수 있어야 한다.

6) 영상소구점

영상소구점은 제작자들의 생각이나 주제를 관객들에게 설명하기 위해 보여지는 장면들 중에서 중요 장면을 의미한다.

대개 단편영상에서는 1-2개 정도의 영상소구점이 존재한다. 영상의 구성 방식에 따라서 영상소구점은 여러 개가 될 수도 있다.

TIP.<클라이막스(Climax)>

> 클라이막스는 영화나 연극에서 가장 절정에 이르는 장면을 의미한다. 여러 개의 영상소구점 중에서 가장 강렬한 장면이라고 할 수 있다.

7) 장르

문학에서 장르라 하면 시, 소설, 수필 등을 의미하지만 영상제작에서 장르는 영상의 종류를 의미한다. 영상의 종류에는 영화, 드라마, 다큐멘터리, 교양, 광고, 뮤직비디오, 뉴스, 버라이어티, 만화, 코미디, 생활정보 등이 있다.

TIP.<UCC>

> UCC(User Created Contents / 사용자 제작 콘텐츠)는 영상의 종류에 해당되지 않는다. 문자 그대로 UCC는 영상을 사용하는 사람들이 직접 영상을 만든 영상물을 의미한다.

8) 구성안

구성은 영상을 만드는 사람들이 자신의 생각과 주제를 관객들에게 가장 효과적으로 전달하기 위하여 이야기(소재)를 논리적으로 선택하고 배열하는 것을 의미한다. 이야기의 배열에 따라 평범한 이야기가 될 수도 있고 흥미있는 이야기가 될 수도 있다.

좋은 구성은 끊임없이 관객들에게 다음 내용이 궁금하게 유도하고 몰입할 수 있도록 돕는다.

예를 들어
<상황 1>
두 명의 젊은 남자가 술집에서 술을 먹고 있다. 잠시 후 옆 테이블의 남자 무리 중 한 사람이 일어나 젊은 남자들에게 다가와 호통을 친다. 알고 봤더니 젊은 남자들은 고등학생들이었고 호통을 친 남자는 고등학교 선생님이었다.

<상황 2>
고등학교 남학생 두 명이 어른인 것처럼 들어와 술을 먹고 있다. 옆 테이블에서 친구들과 술을 먹고 있던 고등학교 선생님이 제자들을 알아보고 호통을 친다.

두 가지 상황 중에서 어떤 상황이 더 흥미로운가?

상황 A에서는 두 명의 남자가 고등학생인 사실을 나중에 보여주지만 상황B에서는 미리 알려줌으로써 궁금증과 긴장감을 반감시키고 평범한 이야기로 만들어 버린다.

이처럼 이야기를 적당히 숨기고 보여 주면서 흥미가 떨어지지 않게끔 궁금증과 호기심을 끊임없이 불러일으키는 구성이 좋은 구성이라고 할 수 있다.

TIP.<직접소구 / 간접소구>

소구란 앞서 설명하였듯이 자신의 생각이나 가치관을 상대방에게 설명 또
는 설득하기 위해 특정 장면을 강조해 보여주는 것을 의미한다.
이러한 소구 방법에는 직접소구와 간접소구가 있다.

직접소구란 등장인물의 성격이나 상황 등을 직접적으로 보여주는 것을 의
미하고 간접소구란 우회적으로 보여주는 것을 의미한다.

예를 들어, 결벽증이 심한 남자(A)가 사장으로 있는 회사에 신입사원(B)가
새로 왔다고 가정해 보자.

<상황 1 : 직접소구>
B는 A의 주변 인물을 통해 A가 결벽증이 있는 사람이라는 것을 알게 된
다.
<상황 2 : 간접소구>
A는 시간이 날 때마다 손을 씻는다. 식사를 하기 전은 물론 식사 시간에
도 손이 지저분하면 손을 씻는다. 거래처 사람이 악수를 청해도 악수를 하
지 않으며 심지어 컴퓨터 자판을 두드릴 때도 장갑을 낀다.

시간적인 제약이 있고 중요한 이야기가 아니라면 직접소구를 사용하여 이
야기의 전개를 빠르게 할 수도 있겠지만 간접소구를 통해 인물의 성격이
나 이야기의 전개를 궁금하게 하는 구성 방법도 유용하게 사용될 수 있다.
직접소구는 주로 신문의 헤드라인 제작에 사용된다.

<구성의 종류>

(1) 구성 방식에 따라 <u>단순구성</u>, <u>복합구성</u>으로 나뉜다.

1. 단순구성
단순구성은 하나의 인물이 하나의 사건과 하나의 주제를 표현하는 구성 방
식으로써 중심이 되는 이야기가 하나로 전개되는 방식을 의미하고 보통 단
편영상에 적합하다.

하지만 단순구성은 사건을 예측하기 쉽고, 단조롭게 느낄 수 있다.

2. 복합구성

복합구성은 여러 인물들이 여러 가지 사건들을 겪으면서 주제를 표현하는 방식으로써 여러 가지 사건들이 복잡하게 보이는 방식을 의미하고 보통 중/장편에 적합하다.

또한 여러 가지 사건들을 교차하여 보여주며 관객에게 끊임없는 궁금증을 불러일으킬 수 있다.(예 : 미드 '24시' / 왕좌의 게임)

복합구성은 앞에 나올 이야기를 예측하기 쉽지 않아 지루하지 않고 보는 이에게 긴장감을 준다. 하지만 이야기를 너무 복잡하게 배열하면 관객들이 이해하기 힘들 수 있고 너무 어려워져서 사람들의 호기심을 반감시킬 수 있다.

(2) 시간적 배열에 따라 <u>연대기적 구성</u>, <u>비연대기적 구성</u>으로 나뉠 수 있다.

1. 연대기적 구성

연대기적 구성은 보통 평면적 구성 / 서사적 구성이라고 하며 사건 전개가 시간적 순서대로 배열하는 것을 의미한다.

2. 비연대기적 구성

비연대기적 구성은 보통 입체적 구성이라고 하며 이야기를 시간적 순서대로 보여주는 것이 아니라 줄거리의 전개에 따라 현재 장면과 과거 장면을 적절하게 섞어서 보여주는 것을 의미한다.

(3) 액자형 구성

액자형 구성은 하나의 이야기 안에 또 다른 이야기가 들어간 구성을 의미한다. 예를 들어 주인공이 상상을 하는 장면이나 꿈을 꾸는 장면들이 이에 해당된다.

(4) 영상의 구조에 따라 3단 구성 / 4단 구성 / 5단 구성으로 나뉜다.

3단 구성은 서론, 본론, 결론으로 나뉘고, 4단 구성은 기, 승, 전, 결로 나뉘고, 5단 구성은 발단, 전개, 위기, 절정, 결말로 나뉜다.

영상의 종류에 따라서 앞부분에 **프롤로그**를 마지막 부분에 **에필로그**를 넣을 수도 있다.

TIP.〈프롤로그〉

> 프롤로그는 앞으로 전개될 영상의 실마리를 제공하고 호기심을 불러일으키는 장면을 의미한다.

TIP.〈에필로그〉

> 에필로그는 영상을 마무리하면서 사건을 정리하고 여운을 느끼게 하는 장면을 의미한다.

글을 쓰거나 영상을 만드는 데 있어서 구성은 매우 중요하다. 하지만 구성의 형식에 얽매이다가 주제를 놓치거나 주제가 약해져서는 결코 안 된다. 구성은 주제를 잘 드러내는 수단이지 목적이 아님을 기억해야 한다.
또한 어떤 구성 방식을 선택하든 결말은 여운과 아쉬움이 남게끔 되도록 짧게 끝내야 한다.

(5) 주제의 위치에 따라 두괄식, 미괄식, 양괄식, 병렬식으로 나뉜다.
주제가 영상의 앞부분에 있으면 두괄식, 마지막 부분에 있으면 미괄식, 앞부분과 마지막 부분에 있으면 양괄식, 각 단락마다 있으면 병렬식 구성이라고 한다. 이 중에서 미괄식 구성이 가장 많이 사용된다.

병렬식 구성에서 사람들이 가장 관심 있어 하는 내용은 앞에 배치하고 주제를 가장 잘 표현할 수 있는 내용(가장 중요한 내용)은 뒤로 배치하는 게 좋다.

<구성안 작성 방법>

구성안을 작성할 때는 소단락이나 씬 별로 내용을 세분화하여 소제목을 정하고 주제를 가장 잘 표현할 수 있게끔 순서를 배열하는 방법이 일반적이며 카드에 소제목을 적은 후 순서를 배열해 보는 방법도 좋은 방법 중 하나이다.(카드 배열식 방법)

<처음 장면으로 좋은 상황>

(1) 호기심 또는 의문을 주는 장면
(2) 충격적인 장면
(3) 재미있는 장면
(4) 신기한 장면

<마지막 장면으로 좋은 상황>

(1) 본론을 정리하며 의미를 부여하는 장면
(2) 뒷이야기가 궁금해지는 장면
(3) 여운을 남기는 장면

<다큐멘터리(영상) 구성 시 주의사항>

(1) 자신의 메시지를 설득적으로 구조화하라.
(2) 매 단락마다 신선한 이야기를 하도록 해라.
(3) 구체적인 상황 또는 실례를 들어 설명하라.(검증, 체험, 실험 등)
(4) 끊임없이 시청자를 개입시켜라.(궁금하게 하라)(질문을 던져라)
(5) 곁가지가 필요하다.(주위를 환기시키고 집중력을 향상시킨다.)
(6) 전문가를 잘 활용해서 잘못된 지식을 전달하지 않도록 한다.(전문적인 지식은 2명 이상에게 검증이 필요하다.)
(7) 찍는 사람의 시야(카메라의 앵글 또는 선택적 촬영)로 인해 사실의 변질 또는 왜곡이 가능하므로 최대한 객관적으로 촬영하도록 한다. 또한 편집자의 주관(선택적 편집)으로 인해 주제가 변질되지 않도록 한다.
(8) 좋은 구도보다는 순간 포착이 중요하다.(지나간 사건은 다시 찍을 수 없다.)
(9) 인터뷰 촬영 시 평범한 배경보다는 상황과 어울리는 배경이 좋다.

<구성안 예1 : 독도:무한의 섬>

제목	독도:무한의 섬
소재	독도 소유권
기획의도	많은 청년들의 독도에 대한 관심이 사라지고 있는 지금, 일본에서는 독도가 자국의 것이라고 주장하고 있다. 독도가 다케시마라는 일본의 근거에 반박하고 그들의 근거가 거짓됨을 알리고, 독도가 대한민국의 땅인 이유에 대해 명확히 알게 하고 독도를 대한의 것으로 더욱 지키기 위함.
줄거리	"일본이 주장하고 있는 다케시마, 그 근거에는 어떤 것들이 있을까요?" 1. 일본의 만행 2. 독도의 경제적, 정치적 가치 　경제적 가치/ 정치적(영역적) 가치/ 일본의 전체주의 성향과 역사 왜곡 3. 일본의 주장+ 한국의 반박 1) (1905) 시마네현 고시 제40호 2) (1951) 샌프란시스코 강화 조약 - 독도 이야기는 없다는 주장 3) 제2차 세계대전 당시 일본이 미국에 항복할 때 한반도, 제주도, 거문도, 울릉도를 포기한다고 했지, 독도에 대한 영유권은 포기한 적이 없다고 주장.
영상소구점	일본이 독도가 자국의 땅이라는 것을 자국민들에게 각인시키기 위해 벌인 일
장르	교양

구성안

chapter 1. 일본의 파장 : 일본의 만행
- 2018년 독도 관련 홍보물을 제작하여 10개국 언어로 번역해 무료 배포한 일본의 만행
- 일본 외무성에서 독도 도메인을 사용한 '독도.com' 사이트를 운영.
- 시마네현에서 '다케시마의 날'을 지정하여 15년 동안 계속해서 행사를 진행하고 있음.
- 일본 초중고 교과서와 외국청서에 한국이 독도를 불법 점거하고 있다고 주장.

chapter 2. 일본의 야욕 : 독도의 경제적, 정치적 가치

1) 경제적 가치
-한류와 난류가 교차하는 조경 수역 (플랑크톤과 수산 자원이 풍부)
-식수나 의약품으로 활용할 수 있는 해양 심층수 분포
-메탄 하이드레이트, 망간 단괴, 인산염암 등 매장

2) 정치적(영역적) 가치
-독도와 함께 주변 바다의 영유권을 주장할 수 있음
-군사적 요충지로 활용 가능
-동해에서 해상 주도권을 갖기 위한 전진 기지 역할

3) 일본의 전체주의 성향과 역사 왜곡
-일본의 천황제와 전체주의 성향; 역사성 순결함과 정당화를 위한 역사 왜곡 및 혐한

이를 근거로 독도 영유권 주장

chapter 3. 일본의 집착 : 일본의 주장+ 한국의 반박

1) (1905) 시마네현 고시 제40호
  ● 무주지인 독도를 점령했으며, 이는 우리 어민 활동 공간이었다고 주장.
- 일본은 독도를 제국주의 전쟁의 군사적 목적으로 점령 후 사용(해상 망루 설치)
- 안용복-도해 금지령(1696), 돗토리번 답변서, 대한제국 칙령 제41호(1900)

1693년과 1696년 일본으로 건너가 직접 조선 어민들의 활동 공간임을 확인한 안용복의 활동에서도 찾아볼 수 있다.
울릉도와 독도에 대한 **영유권과 조업권**을 확실하게 한 사건이며, 이후 일본에서 울릉도와 독도에 대한 도해 금지령을 내렸음(1696)
돗토리번 답변서에서 독도가 일본땅이 아님을 인정하였다.
"다케시마(울릉도), 마스씨마(독도)는 물론 그 외 돗토리번에 속하는 섬은 없다."
대한제국 칙령 제41호(1900) 울릉도를 울도로 개칭하고 도감을 군수로 개정,
제 2조에서 구역은 울릉 전도와 죽도, 석도(=독도)를 관할할 것.

2) (1951) 샌프란시스코 강화 조약 - 독도 이야기는 없다는 주장
- 한국은 3,000여개의 섬이 있으며, 울릉도의 부속도서인 독도는 당연히 한국 땅이다. - 스카핀 문서(제 677호-1)에 표기된 Liancourt Rocks(Take Island)=독도

3) 제2차 세계대전 당시 일본이 미국에 항복할 때 한반도, 제주도, 거문도, 울릉도를 포기한다고 했지, 독도에 대한 영유권은 포기한 적이 없다고 주장.
- 식민지배는 도덕적으로 점유권을 인정받을 수 없는 행위 (식민지배 종결 이후 땅은 본래 주인에게 돌려주는 것이 정당함.)

- 일본의 ICJ 국제사법재판소 제소 요청을 받아들인다면 독도는 영토 분쟁지역이 되고, 실효지배중인 한국의 행동 또한 제한 받을 수 있다.
 -> 일본의 제안을 받아들일 필요가 없음

일본의 주장 중심에는 제국주의 전쟁인 러일전쟁과 제2차 세계대전이 있다.
그러므로 일본의 독도에 대한 영유권 주장은 제국주의 전쟁에 대한 잘못을 인정하지 않는 행동이다.

<구성안 예2 : 낙화>

제목	낙화(희생된 영혼들이 붉은 동백꽃처럼 차가운 땅으로 소리 없이 스러져 갔다는 의미)
소재	제주 4·3 사건 / 인권
기획의도	우리의 아픈 역사인 4·3사건을 소개하고 이 사건을 단순 이념이나, 책임에 대한 잘못을 가르는 사건으로만 기억하는 것이 아닌, 당시의 시각으로 바라보고자 하였다. 복잡한 국제정세 속에서 항의하기 위해 무기를 든 사람들이 무기를 들었다는 이유로 제주도민의 10퍼센트가 몰살당해 버리는 안타까운 결과를 가져왔다는 점을 기억하고자 기획했다. 또, 4·3사건을 통해 생명에 대한 권리, 인권에 대해 깊이 생각하게 되고, 이런 아픈 역사가 반복되지 않도록 우리가 앞으로 어떤 미래를 만들어야 하는가에 대해 생각해보는 의미있는 시간을 만들고 싶었다.
줄거리	모션 그래픽, 사진, 인터뷰 영상을 번갈아 가며 사건과 상황을 설명 **프롤로그** 4·3 사건의 피해를 당한 어머니가 쓰러져있고 아이가 젖을 물고 있는 장면 위에 희생자들의 말들이 하나둘씩 새겨진다. **서론** 4·3 사건의 도화선이었던 3·1절 기념행사에서 아이가 말에 치이는 사건 발생, 시위군중을 폭동을 일으킨다고 착각한 경찰이 총을 발포해 민간인 6명이 희생되며 제주 4·3사건에 직접적인 원인을 만든다. 1947년 제주도의 상황은 어땠는지를 간략히 설명하고, 3·1 발포 사건이 정당방위였음을 보여주는 성명문으로 사건을 단순 무마

하려고 함. 이에 분노를 느낀 제주도민은 3일 뒤 민관 합동 총파업이 단행된다.

그러자 미군정은 제주도를 빨갱이의 섬, 레드 아일랜드로 지목해 대대적인 탄압을 하기 시작한다.

서울에서 응원 경찰을 보내고, 이어 서북청년회를 제주도로 보냈다. 경찰의 무차별한 폭행, 고문 자행

본론

4·3사건의 시작과 끝을 설명하고 희생자와 유해를 발견했던 탐사가의 인터뷰를 통해 4·3를 생생히 담아낸다.

제주도민은 4월 3일 자정 무장 항쟁을 시작한다.

이에 위협을 느낀 미군정은 병력을 증강하였고 경찰은 파견한다. 총선거를 앞두고 거부 의지로 한라산을 오르게 된다.

4월 28일 평화협정을 이룬다.

평화협상 직후인 5월 1일에는 우익 청년 단원들에 의한 "제주읍 오라리 방화사건"이 발생, 협상을 파기하게 되는 결정적인 원인을 제공했다.

이후, 하산한 피난민들을 총살과 형무소 연행

8월 15일 남한정부가 수립된 뒤 정부는 제주도 사태를 진압하기 위해 군병력을 증파하여 강력한 진압 작전을 펼치고, 대대적인 강경토벌작전이 제주 전역을 휩쓸게 된다.

<당시 제주 4·3 사건의 희생자였던 강춘희 명예 교사님의 인터뷰와 모션 그래픽으로 이야기를 풀어낸다.>

<당시 제주 4·3 탐사가였던 김은희 조사 1팀상님의 인터뷰와 모션   그래픽으로 설명>

37년 뒤, 1991년 12월 제주 4·3 탐사가들이 무장대와 토벌대를 피해 다랑쉬굴로 피신한 주민들의 흔적을 발견하게 된다.

결론

43사건 이후 피해자들의 현재의 삶과 모습을 보여준다.

희생자들은 7년 7개월이란 시간 끝에 억압에서 해방되었지만 고통은 지속되었다. 자신의 의사와 상관없이 가족의 유해를 화장시키게 됐을 뿐만 아니라, 연좌제와 국가보안법의 족쇄가 유가족들을 얽어맸으며, 고문 피해로 인한 후유장애, 레드 콤플렉스 등 정신적 상처가 아물지 않았다. 4·3으로 인해 일본으로 피신한 사람들은 돌아오지 못했고, 수형생활을 하다가 돌아온 사람들은 공안기관의 감시에 시달렸다.

아직 끝나지 않은 4·3

1) 2000년 제주 4·3의 특별법 선포(진상규명과 희생자 유족의 명예회복)

2) 2006년 10월 30일, 노무현 대통령이 제주 4·3사건 희생자들에게 사과를 함으로써 산폭도로 취급받던 희생자들을 제주 4·3사건의 생존 희생자로 뒤바뀌며 명예회복이 시작되는 계기가 되었지만, 4·3 사건이 아직 끝나지 않았음을 담는다.

에필로그

우리에게 4·3은 어떤 의미인지 어떻게 기억해야 하는지를 말한다.

	4·3을 기억해야 하는 이유를 담은 메시지를 인터뷰를 통해 전달한다. 이후 페이드 아웃되며, "부디 우리를 기억해주기 바란다. 우리의 그날이 당신들의 존엄이기를, 희망이기를, 평화이기를 바란다." 제주민예총 다랑쉬굴 비석中- 의 자막이 나오며 영상을 마친다.
장르	교양

<구성안>

프롤로그

#1 아이가 피에 물든 어머니의 젖을 물고 있는 모습 위로 희생자분들의 말이 띄워진다.

　희생자의 모습이 여러 명으로 > 제목 낙화가 올라온다.(인상 깊은 배경음악)

　장면 : 마지막에 멈춘 다음 아기와 엄마가 있는 중앙을 클로즈업 (양옆 사람 안 보이게) 복부, 하반신 쪽으로 피 효과 더하기

서론

#4 1947년 3월 1일. 제주북국민학교에서 개최했던 3·1절 기념식

　장면 : 제1장 1947년 3·1 발포사건으로 변경 검은 화면에 년도 명시 3·1 발포사건

　모션 : 교문 > 학교로 포커스 맞추기

#5 말 소리가 지나가고 '아이가 치였어요!'라는 말과 함께 아이의 울음소리가 들린다.

　나레이션 : "아이가 치였어요!" (여기까지 검은 화면으로) 3·1절 기념행사에서 아이가 기마경찰이 타고 있던 말에 치이는 사건이 발생한다.

　장면 : 제주북초등학교 그림 > 사람들이 몰려있고 치인 아이가 쓰러져있는 그림

#6 나레이션 : 기마경찰은 치인 아이를 무시하고 지나갔고, 이를 본 사람들은 경찰에게 돌을 던지며 쫓아갔다.

　장면 : 사람들이 돌을 던지며 기마경찰을 쫓아간다.

　모션 : 교차로 사람들 앞으로 전진, 돌 움직임 빠르게

　일러 : 말 움직임 자연스럽게

#7 응원경찰은 돌팔매질을 하는 사람들에게 총을 발포했다.(시신들의 등에서 발견된 총알 흔적, 공포탄 소리)

　장면 : 공포탄을 발포하는 손

#8 나레이션 : 경찰은 폭동으로 오인해 총을 발포했고, 이 사건으로 주민 6명이 사망, 8명이 중경상을 입는 '3·1절 발포사건'이 발생했다고 기록되어있다.

　장면 : 도망가는 사람들, 등에 총을 맞아 쓰러진 남자의 모습이 나오고 사망 인원과 총상 인원 자막이 뜬다.

#9 나레이션 : 당시 사회는 북은 소련, 남한은 미국이 통치하는 미소군정기였다. 미국에서는 제주도에 친일 경찰은 재배치해, 제주도민은 경찰에 대한 인식이 좋지 않은 상태였다. 그런 와중에 경찰 측에서는 치안을 위한 정당방위였다는 성명문을 냈다.

　장면 : 한반도 위에 북은 소련 남은 미국으로 채워진다. > 제주도가 확대되고 일본

국기가 채워진다. / 디졸브 > 성명문기사 사진 삽입 > 정당방위였다는 부분을 확대하고 표시하기.

#10 1947년 3월 10일. 총파업이 시작되었다. 민관 합동 총파업 (1947.3.10) -> 제주도민의 공동체적 성격이 드러나는 부분 운수업체, 은행, 학교, 공서, 통신기관 등 도내 166개 기관 단체가 함께 총파업 제주 직장인의 95%에 이르는 4만여 명이 참여, 이 중 현직 경찰도 일부 참여

　나레이션 : 이에 분노한 제주도 내 학교, 관공서 등 직장인의 95%가 민관 합동 총파업을 일으켰다.

　장면 : 반은 학교, 반은 관공서가 나오고, 검정으로 변한다. / 민관 합동 총파업 기사 사진(까만 화면으로 물들고 조명으로 관련 신문을 비추며 설명.)

#11 나레이션 : 그러자 미군정은 제주도를 빨갱이의 섬, 레드 아일랜드로 지목해 대대적인 탄압을 하기 시작한다.

　장면 : 제주도 섬이 빨갛게 물든다.

#12 경찰의 무차별 폭행과 고문 자행.

　나레이션 : 파업한 경찰들의 빈자리를 응원경찰과 서북청년단이 차지하였고, 그들은 무차별 폭행과 고문을 자행했다. 1947년 한 해 동안 2,500여 명의 제주도민이 검거와 고문을 당했다.

　자막 : 응원경찰, 서북청년단 양옆으로 설명추가

　장면 : 친일경찰과 서북청년단의 모습 고정인 상태에서 자막은 디졸브로 서서히 나타나기 / 굴 안에 사람들을 무자비하게 가둬두고 총을 쏘는 장면이 디졸브되고 사람들이 감옥에 갇혀있는 모습

본론

#13 나레이션 : 1948년 4월 3일 새벽 2시, 산과 오름에 봉화가 켜지기 시작한다.

　장면 : 새벽 2시, 산에서 봉화가 하나, 둘씩 피어오른다.

#14 5·10 총선거에 참여하지 않겠다는 주민과 무장대는 한라산을 오른다.

　나레이션 : 그리고 5·10 총선거에 참여하지 않겠다는 주민과 무장대는 한라산을 오른다.

　장면 : 한라산을 오르는 시민과 무장대 > 찰칵 소리와 함께 실제 사진 삽입

#15 나레이션 : 이후 미군정과 무장대와의 평화협상(4/28 날짜 기재)이 성사된다.

　장면 : 김익렬과 김달삼 사진 삽입 (재단 인터뷰 : 협상내용 자막과 함께)

　나레이션 : 하지만, 평화협상을 깨뜨린 오라리방화사건 발생한다.

　장면 : 오라리 방화사건 촬영한 영상 삽입

　자막 : 하지만(웅장한 효과음) / 1948년 5월 1일, 오라리 방화사건 발생(타자기소리)

#16 나레이션 : 서북청년단들이 저질렀음에도 미군정과 경찰들은 이 사건을 묵살하고, 하산한 피난민들을 총살, 형무소로 연행하였다.

　장면 : 트럭을 탄 서북청년단이 불을 지르고 있는 모션 > 화면전체가 불타는 장면으로 장면이동 후 피난민들이 연행되는 모습

　자막 : 제주 주정공장 형무소

#17 나레이션 : 8월 15일 대한민국이 수립된 뒤, 정부는 제주도 사태를 진압하기 위해 군 병력을 증파하여 / 초토화 작전을 펼치고, 제주 전역을 휩쓸게 된다.

　　장면 : 한반도 위에 북한과 대한민국 국기로 나눠지고, 서울에서 제주도로 군 병력을 배치하는 모션 / 제주도 클로즈업

#18 나레이션 : 해안에서 5km 이상 들어간 중산간 지대를 통행하는 자는 폭도대로 간주해 총살하겠다는 포고문이 발표됐다. / 이때부터 군경토벌대는 중산간 마을에 불을 지르고 / 주민들을 집단으로 살생하기 시작한다.

　　장면 : 제주도 지도 위에 경계선이 생기며 표시 / #16 불지르는 모션 확대해서 다시 사용 / 4번의 총성 소리와 함께 쓰러지는 사람들 순서대로 쓰러지게 하기

#19 나레이션 : 그 후, 11월 17일 제주도에 계엄령이 선포된다.

　　자막 : 11월 17일. 제주도에 계엄령 선포

　　장면 : #18 장면 위에 종이가 펼쳐지게 계엄령 선포 사진 삽입 > 페이드 아웃

#20 제주 4·3사건의 피해자 강춘희씨 증언 인터뷰를 모션으로 풀어낸다.

　　장면 : 검은 화면 위에 자막

　　자막 : 제2장 4·3 생존 희생자의 기억

희생자 나이 추가하기

- 1) 다섯 식구와 함께 있는 소녀 (#20-1 인터뷰)

　　장면 : 인터뷰 영상(메인) > 디졸브 > 고향에서 가족들과 서 있는 소녀의 모습이 나온다.

- 2) 할아버지는 천장을 뜯어 동네 청년들을 숨겨준 일을 경찰에 들켜 끌려가 행방불명된다.

　　　(#20-2 인터뷰)

　　장면 : 할아버지 끌려가다가 흩어지면서 사라지기

- 3) 학교 갔다가 오는 길에 끌려가 행방불명된 아버지 (#20-3 인터뷰)

　　장면 : 학교 가는 아버지 / 마을에서 잡혀서 끌려가는 아버지

- 4) 대살의 위험을 피해 굴속에 피신한 어머니는 아이의 울음소리로 인해 발각될 우려가 있어 쫓겨난다. (#20-4 인터뷰)

　　장면 : 아기 울음소리와 함께 굴을 떠나는 어머니(보초병에 잡히는 모션 넣기)

- 5) 주정공장에 끌려가 아이와 함께 뒤통수를 맞아 쓰러진다. (#20-5 인터뷰)

　　장면 : 주정공장에서 보초병에 맞은 어머니와 아이 (줌인 > 디졸브) > 보초병의 로우앵글

- 6)

　　장면 : 인터뷰 영상(서브cam)

　　장면 : 검은 화면 중앙에 자막 나오기

#21 나레이션 : 무장대와 토벌대 간의 무력 충돌과 토벌대의 진압 과정에서 3만 여 명의 주민들이 무참히 희생되어갔다. 1954년 9월 21일 한라산에 금족 지역이 개방됨으로써 43사건은 발발 이후 7년 7개월 만에 막을 내리게 된다.

　　장면 : 사라진 마을과 집뼈대만 남은 모습과 주변 동백꽃들이 떨어져 있는 모습 /

(메이데이 희생자의 모습 -> 적나라한 장면 블러처리하기)
일러 : 바닥 어둡게 / 초가집 다 어둡게 / 부자재 떨어져있는 모습으로
#22 나래이션 : 그리고 37년 뒤,
장면 : 제3장 다랑쉬굴에서 찾은 흔적
나래이션 : 1991년 12월(섬) 제주 4·3 탐사가들은 무장대와 토벌대를 피해 피신해 있던 주민들의 흔적을 발견한다.
장면 : (당시 촬영 영상 삽입)
#25 나래이션 : 굴 입구 근처, 일렬로 가지런히 누워있는 유해들, 어떻게 된 일일까?
장면 : 굴 내부를 위에서 본 장면 그림 어둡게 하고 그 위에 자막 써지게
장면 : 인터뷰 영상 / 다랑쉬굴 인서트컷 (장소 넣기 : 제주 4·3평화 기념관 다랑쉬굴 전시관)
#26 나래이션 : 당시 제주의 풍습으로는 유해를 화장하는 일은 큰 결례였다. 그러나 (다랑쉬굴) 공개 이후, 많은 관들이 개입되면서 유가족들은 아무런 힘없이 유해를 화장하게 되었다.
장면 : (당시 영상 삽입)

결론
#27 나래이션 : 희생자들은 7년 7개월이란 시간 끝에 억압에서 해방되었지만, 고통은 지속되었다. 연좌제와 국가보안법의 족쇄가 유가족들을 얽어매었고, 고문 피해로 인한 정신적 상처가 아물지 않았다.
장면 : 아이에서 할머니로 세월이 지난 모습을 그린다. (주변환경은 밝게 변하지만 할머니가 된 소녀는 그대로 회색빛)
#28 아직 끝나지 않은 4·3의 이야기를 담는다.
- 2000년 제주 4·3의 특별법 선포 (진상규명과 희생자 유족의 명예 회복)
- 2006년 10월 30일, 노무현 대통령이 제주 4.3사건 희생자들에게 사과를 함으로써 산폭도로
취급받던 희생자들을 제주 4·3사건의 생존 희생자로 뒤바뀌며 명예 회복이 시작되는 계기가 되었지만, (학살과 불법 군사재판으로 인해 행방불명된 수형인을 재조명 등의 내용을 담으며) 4·3 사건이 아직 끝나지 않았음을, 역사를 기억해야 한다는 메시지를 담고자 한다.
나래이션 : 2000년, 제주 4·3 특별법 선포를 시작으로, 2006년 10월 30일 노무현 대통령이 제주 4·3사건 피해자들에게 사과함으로써 폭도로 취급받던 희생자들이 제주 4·3사건의 생존 희생자로 뒤바뀌어 명예 회복이 시작되는 계기가 되었다. 제주 4·3사건 이후, 68년이 지났지만
장면 : 김대중 대통령 때 제주 4·3의 특별법 선포하는 영상 / 노무현 대통령 사과 영상과 눈물 흘리는 피해자 모습이 담긴 영상
나래이션 : 학살로 인해 사망한 희생자들의 유해 발굴은 여전히 진행되고 있고, 아직 제주 4·3 사건은 끝나지 않았다.
장면 : 굴, 기념비 등 인서트컷(명패)

모든 영상에는 구성안이 필요하며, 시나리오나 스토리보드를 미리 작성하기 힘든 다큐멘터리 같은 장르에서는 구성안 작성이 더욱 중요하다고 할 수 있다.

이렇게 작성된 구성안을 기본으로 촬영구성안(**촬영콘티)과** 편집구성안(**편집콘티)을** 작성할 수 있다.

TIP.**<촬영콘티 / 편집콘티>**

촬영콘티는 영상을 제작하기 전에 미리 상황을 예측해서 영상의 촬영순서와 내용들을 정리해서 기록하는 것을 의미한다.

실제로 촬영이 시작되었을 때 카메라 감독이 무엇을 어떻게 촬영해야 하는지 구체적인 내용들이 기록돼 있다. 씬 별로 씬 번호를 붙였을 때 이야기의 순서가 아니라 촬영의 순서를 기록한 것이다. 따라서 실제 영상의 술거리와 촬영의 순서는 다를 수 있다.

예를 들어 어떤 여학생이 집에서 꽃단장을 하고 학교에 가서 수업을 들은 후에 남자친구와 식사를 하고 집으로 돌아왔다고 가정해 보자.

이 예시에서 이야기의 배경이 되는 장소는 집-학교-식당-집이 될 것이다. 이야기의 순서대로 촬영할 경우에는 집에서 촬영을 한 후에 학교와 식당에서 촬영을 하고 다시 집으로 돌아와서 촬영을 해야 한다. 하지만 시간적으로 여유가 없는 상황이라면 집에서 찍어야 할 장면을 한꺼번에 촬영한 후에 다른 장소를 촬영할 수도 있다. 이때 촬영순서는 집-학교-식당이 될 수도 있고 집-식당-학교가 될 수도 있다.

이와 같이 한꺼번에 미리 촬영할 경우에는 앞에 나오는 집 장면과 뒤에 나오는 집 장면의 시간대가 다르므로 빛의 밝기나 배경 등을 주의해야 한다. 또한 연기자의 표정이나 감정 표현도 조금씩 달라야 한다.

편집콘티는 촬영콘티와는 달리 실제 보여주고자 하는 이야기의 순서에 입각해서 영상을 선택, 배열하고 자막, 음악, 색보정 등의 편집 순서를 기록한 것이다.
즉, 어떤 식으로 이야기를 보여주겠다는 것을 기록한 것이다.

<편집콘티 예1 : DigLog(디지로그)>

제목	디지로그(디지털+아날로그)
소재	아날로그 적인 감성을 가진 장소, 그 감성을 잊지 않는 사람들, 아날로그와 디지털의 공존
주제	디지털화된 시대가 왔지만, 아날로그 감성은 사라지지 않고 디지털과 이 시대를 공존하고 있다.
기획의도	디지털 시대를 살아가는 사람들은 왠지 모르게 그 편리함에서 만족을 누리지 못하고 오히려 회의적이다. 때때로 사람들은 아날로그 시대를 그리워한다. 디지털과 아날로그는 서로 다르지만, 그 다름을 서로 공유하고자 하는 시대를 보여주고자 한다.
줄거리	-프롤로그 <아날로그 시대에서 디지털 시대의 도래> -서론 <디지털 시대에 회의를 느끼는 사람들, 그리운 감성> -본론<아날로그와 디지털 : 공존의 시작> 본론1) 아날로그와 디지털, 기기에서 만나다. 본론2) 아날로그와 디지털, 공간에서 만나다. 본론3) 아날로그와 디지털, 음악에서 만나다. -결론<아날로그 디지털, 공존이 주는 윤택함>
영상소구점	아날로그와 디지털이 공존하고 있는 장소나 기기들을 보여주는 장면
장르	다큐멘터리

< 편집 콘티 >

구분	순서	V/A	내용
프롤로그	1	V	우체통
		A	BGM. 캐논
	2	V	노트북
		A	BGM. 일렉 캐논
타이틀	1	V	'디지'(워드)+'로그'(손글씨) '디지털, 아날로그를 만나다'(그래픽)
		A	BGM. 일렉 캐논
서론	1	V	빠른 풍경, 휴대폰, 지친 모습
		A	NA. 디지털 시대가 왔다. 터치 하나로 모든 것이 이뤄지는 세상. 사람들은 얼마나 만족하고 있을까?
	2	V	일반인 인터뷰.
		A	디지털로 편리해진 시대. 마음에 드시나요?
	3	V	전문가 인터뷰 (윤세민교수님)
		A	왜 사람들은 디지딜에 회의감을 느끼게 되었나요?
본론1	1	V	SubTitle . 디지털과 아날로그 '기계'에서 만나다.
		A	다음 장면 현장음
	2	V	아이폰 - 갤노트 - 포포
		A	NA. <아이폰>아날로그 감성을 담고 있는 디지털 기기가 늘어나고 있다. 편리한 스마트폰이 등장했지만, 사람들은 유선전화를 그리워한다. <갤노트>최근에는 스마트 기기로도 종이로 필기하는 듯한

			아날로그 감성을 그대로 느낄 수 있다. <포포>폴라로이드는 그 자리에서 사진을 인화했다면, 이제는 간단한 터치 한 번으로 쉽게 인화할 수 있다. 디지털 시대, 아날로그 감성은 아이러니하게도 디지털 기기로 부활했다.
	3	V	일반인 인터뷰
		A	아날로그와 조합된 디지털 기기에 대한 생각은?
본론2	1	V	SubTitle . 디지털과 아날로그 '공간'에서 만나다.
		A	다음 장면 현장음
	2	V	디브러리
		A	NA. 아날로그와 디지털이 만난 하이브리드 도서관, 디브러리. 기존의 도서관과는 다르게 디브러리에는 책이 없다. 책 대신 디지털 기기가 그 자리를 대신한다. 책장을 넘기는 행위 그대로를 디지털 기기로 옮겼다.
	3	V	혜화동 주민센터
		A	NA. 역사의 도시 종로구 혜화동, 혜화동 주민센터는 현대식 건물 사이에 공존하고 있는 한옥청사이다.
	4	V	혜화동장님 인터뷰
		A	어떤 계기로 한옥 청사를 짓게 되었나요?
본론3	1	V	SubTitle . 디지털과 아날로그 '음악'에서 만나다.
		A	다음 장면 현장음
	2	V	USB턴테이블
		A	NA. 턴테이블에서 재생한 LP음악을 디지털음원으로 저장하는 usb 턴테이블. LP 특유의 소리를 디지털 기기로 재생하게 된 것이다.

	3	V	전문가 인터뷰 (고훈준교수님)
		A	아날로그 음악을 찾게 되는 이유는 무엇인가요?
	4	V	리틀디제이 전경
		A	NA. 디지털 음악이 주를 이루는 시대에 도심 속 작은 라이브 카페가 있다. 라이브 음악을 디지털 장비를 통해 들을 수 있다.
	5	V	리틀디제이 인터뷰
		A	리틀디제이는 어떤 가게인가요?
결론	1	V	일반인 인터뷰
		A	BGM. 작게 시작. 디지털과 아날로그가 공존하는 현상에 대한 생각은?
	2	V	전문가 인터뷰
		A	디지털, 아날로그의 공존에 대해 어떻게 생각하시나요?
	3	V	앞전 영상 순차적 나열
		A	NA. 디지털 시대가 왔다. 아날로그로 돌아갈 수는 없지만, 우리는 아날로그 감성을 찾고 있다. 디지털의 편리함과 아날로그적 감성이 만났을 때 우리 삶이 더 윤택해지기 때문은 아닐까..
에필로그		V	S노트 재생
		A	BGM. 점점 크게
엔딩 크레딧			

9) 시나리오

시나리오는 영상을 만들기 위해 쓰여진 각본을 의미한다.

사건이 전개되는 상황(배경) 설명과 장소, 사건이 발생하는 시간, 배우들의 행동과 대사 등을 기록해 놓은 것이다. (해설 / 지문 / 대사)

시나리오는 추상적인 표현보다는 구체적인 상황으로 묘사해야 한다. 예를 들어 소설에서 '주인공은 매우 슬퍼한다.'라고 한다면 시나리오에서는 주인공이 슬퍼하는 상황을

'술을 많이 마시며 주인공이 괴로워한다.'

'하늘을 처다보며 절규한다.'

'자신의 가슴을 치며 흐느낀다.'

등과 같은 방법으로 자세히 묘사해야 한다.

<시나리오 예1 : 청살>

제목	청살
소재	범죄, 벌레, 건달
기획의도	허무함이 주는 쾌감에 대해. 스토리를 따라가며 한껏 이입한 관중들을 무장해제 시켜버리는 유쾌하고 귀여운 반전을 통해 웃음을 주고 싶었다.
줄거리	의뢰인이 험상궂게 생긴 남자에게 상담을 받고 있다. 금액과 방법, 수당 등 살벌한 대화가 오고 간다. 의뢰를 수락한 남자는 몸을 단련한다. 깔끔하게 차려입은 남자는 약속의 장소로 나간다. 살벌한 분위기 속 남자는 의문의 가방에서 도구를 꺼내 휘두른다. 과연 그 남자가 죽인 것은 무엇일까?
영상소구점	사람을 청부살해 하는 걸로 생각하지만, 사실은 고작 벌레 한 마리를 죽이는 장면
장르	단편영화, 코믹, 느와르

#1. 도로(낮)
전봇대에 스티커가 붙어있다.
[무엇이든 해결해드립니다.]
-칠점사 흥신소

#2. 칠점사 흥신소 사무소(낮)
담배를 피우며 호두를 돌리고 있는 남자.
전화벨이 울린다. 의자를 잠깐 돌리며 험상궂게 생긴 남자가 전화를 받는다.
광철: 네, 칠점사 흥신소입니다.

의자에 두 발 다 올리고, 한 손엔 호두 두 알을 달그락거리고 있다.
책상 위엔 담배로 가득 찬 재떨이와 망치. 망치로 발을 긁으며, 어깨와 귀에 전화기를 끼고 건성한 태도로 전화를 받고 있다. 다리는 까딱까딱

의뢰인: 정말 돈만 주면 다 해주시는 거 맞죠?
광철: 에, 다해드려요. 뭐 땜에 그러시는데요

잘 들리지는 않지만, 반대편에서 사람의 음성이 들린 뒤 사뭇 진지한 태도로 자세를 고쳐 앉는다.

광철: 그 건은 직접 만나서 얘기하시죠.

Title_ 청 살

#3. 칠점사 흥신소 사무소(낮)
테이블에 믹스커피가 놓인다. 긴장한 기색이 역력한 의뢰인과 여유로운 광철.
손에 호두 두 알이 들려져 있다. 계속해서 달그락거리는 소리를 낸다.

광철: 여긴 어떻게 알고 오셨죠?
의뢰인: 전봇대에... 전단지 붙어 있는 거 보고 왔어요.
광철: (나지막한 광철의 목소리로) 이런 일 아무 데서나 안 해주는 거 알죠?
    (백호를 바라보며) 가져와

가져오라는 소리와 함께 건장해 보이는 남자가 연장이 든 가방을 툭 내려놓고선 인사하고 나간다.
수상하게 생긴 가방.

연장 소리가 들린다. 광철은 가방에 시선을 고정한 채 칼을 꺼내 든다.
의뢰인은 칼을 뚫어져라 쳐다본다.
광철은 테이블에 놓인 장기판에 칼을 꽂는다.
의뢰인이 겁을 먹고 어정쩡한 자세로 최대한 멀리 피해 본다.

광철: 찔러서?
광철: (지포 라이터를 켜 의뢰인에게 가져다 대며) 지져서?
의뢰인: 아니요..

지포 라이터를 후 불어 끈 광철.
책상을 발로 끄는 소리에 백호는 물이 든 양동이를 최대한 넘치지 않게 들고 온다.

광철: (백호를 양동이 쪽으로 끌어당기며) 담가서?
의뢰인: 앗.. 아니요..

의뢰인 불안하고 초조한 눈빛으로 바라본다. 백호는 물웅덩이를 치운다.

광철: 아니면 그냥 요새는 약물로 그냥 한 방에 갈 수도 있는데 (눈을 치켜뜨고 의뢰인을 바라본다.)
의뢰인: (시선을 피하며) 알아서 해주세요... 저는 그런 쪽에는 문외한이니까요.
광철: (장기판에 꽂혀있던 칼을 빼고, 칼을 보며) 알아서라. (음흉하게 웃는 광철)

광철의 눈치를 살피며 의뢰인이 조심스럽게 말을 꺼낸다.

의뢰인: 저.. 금액은...
광철: 아시다시피 이런 일이 쉬운 일은 아니잖아요. 뭐 자칫 실수라도 하면 여러 사람 피곤해지고

테이블 장기판에 손으로 숫자 4를 만들어 툭툭 장기판을 친다.

광철: 우선 네 장으로 알고 계시고.
의뢰인의 망설이는 듯한 얼굴과 몸짓

광철: 확신이 안 서시면 마시고요.

커피가 든 컵을 들고 자리를 뜨려는 광철.
그런 광철을 의뢰인이 간절하게 붙잡는다.

의뢰인: 아니요!! 부탁드릴게요. 꼭이요.

광철은 자신의 커피를 야만적이게 마시고 쓰레기통으로 버린다.
광철: 도장은 가지고 오셨나?

호두 두 알을 돌리며 광철은 계약서에 지장으로 대체하는 의뢰인을 처다본다.
성사된 계약서를 처다보는 광철.

광철: 그럼 이따 두 시간 뒤에 뵙겠습니다. 제가 집에 오면 문 잘 열어주시고요.
광철: (가방을 들고 다시 제자리로 돌아가며) 백호야 준비해라
백호: 예. 형님.

#4. 칠점사 흥신소 사무소(초저녁)
광철은 책상에 발을 올려둔 채 팔굽혀 펴기를 하고 있다.
광철의 힘겨운 숨소리와 함께 백호의 소리가 들린다.

백호: (문밖에서) 들어가도 되겠습니까, 형님?
광철: 어. 들어와.
백호: (근심 어린 얼굴로) 알아봤습니다. 형님. 이번 일 쉽지 않을 것 같습니다. 아무래도 애들을..
광철: (백호의 말을 끊으며) 수고했어. 들어가 봐.

백호는 광철에게 USB를 전달한다.
USB를 전달받고 자리로 돌아가는 광철.

#4-1. 칠점사 흥신소 사무소(늦은 저녁)
광철은 날선 칼을 손으로 조심스럽게 갈고 있다.
칼을 뚫어저라 처다보며 만져보는 광철.

광철: 준비하고 있어.
백호: 네.

다시 칼을 갈기 시작한다.

#4-2. 칠점사 흥신소 사무소(늦은 저녁)
백호가 광철의 양복 상의를 들고 있다.
광철은 당연하다는 듯 옷에 팔을 끼워 넣고 옷매무새를 정리한다.

백호: (근심 어린 목소리로) 정말 같이 안 가도 되겠습니까. 쉽지 않을 것 같습니다.
광철: 수고했어. 들어가.
광철의 말에 더 반박하려 하지 않고, 연상이 든 가방을 챙겨 전달한다.

백호: (광철에게 90도 인사를 하며) 다녀오십시오, 형님.

사무실 문을 열고 나가는 광철.

#5. 칠점사 흥신소 사무소 앞(늦은 저녁)
광철은 연장 가방을 내려놓고, 담배를 태운다.

#6. 인적이 드문 동네(밤)
담배를 피우며 올라오는 광철.
전봇대에 기대어 남은 담배를 태운다.
담배를 던진 후, 가죽 장갑을 손에 낀다.
연장 가방을 챙기고, 기세등등하게 걷는다.(관상- 이정재 등장 신 오마주)

#7. 의뢰인 집 현관(밤)
의뢰인 집 앞에 도착해 연장이 든 가방을 내려놓는다.
몸을 푸는 광철. 문이 열린다.
문이 소심하게 열리자 광철은 문틈으로 손을 넣고 조용히 하라는 듯한 신호를 보낸
다. 의뢰인은 걱정 가득한 눈이지만 곧잘 말을 듣는다.
의뢰인과 현관 앞에서 신호를 주고받고, 광철은 고양이처럼 살금살금 집 안으로 들
어간다.

#8. 의뢰인 방 앞(밤)
연장이 든 가방을 내려놓고선 가방에서 무언가 찾는다.
잠시 후 무언가 꺼내 들고, 벽 하나를 두고 기대어 동태를 살핀다.
광철은 숨을 크게 들이쉬고 잠시 참았다가 바로 문고리를 잡아 열고 방 안으로 뛰어
들어간다. 안절부절못하는 의뢰인.
광철의 뒤를 의뢰인이 세 발 늦게 따른다.

#9. 의뢰인 방(밤)
광철은 무언가와 눈이 마주친다.
살벌하게 쳐다보는 광철.
정체는 바로 집게벌레....
파리채를 높게 든 광철. 힘껏 내리치기 일보 직전.
집게벌레가 미세하게 꿈틀이자 광철은 오두방정을 떨며 파리채를 놓치고 의뢰인과
부둥켜 안는다... (왜인지 모르게 그 덩치에 소녀의 비명소리다.)
광철과 의뢰인 둘 다 비명을 지르며 어서 잡으라 소리친다.

#10. 거실(저녁)

문을 열고 집주인 할머니가 들어온다.

시끄러운 소리에 인상을 찌푸리며 광철과 의뢰인이 있는 방으로 들어간다.

#11. 의뢰인 방(밤)

광철의 덩치가 무색하게 할머니가 파리채로 한 번에 벌레를 잡는다.

한 번에 벌레를 잡은 할머니를 보며, 광철과 의뢰인 둘 다 정적.

집주인 할머니: (한심한 듯 두 남녀를 쳐다보며) 지랄들 헌다. 에휴 에휴.

들릴 듯 말 듯 중얼거리시며 퇴장.

부둥켜안고 있던 광철과 의뢰인

의뢰인이 싫다는 듯한 몸짓으로 일어난다.

머쓱해하며 눈치 보는 광철.

의뢰인: 나와요.

광철은 부끄러운 듯 뒤를 따라 일어난다.

의뢰인: (언성을 높이며) 안 나와요?
광철: 아.. 예.

#12. 거실(저녁)

광철은 다시 자신의 연장 가방을 챙긴다.

의뢰인은 그런 광철을 한심한 눈으로 바라본다.

머쓱하게 의뢰인과 마주한 광철.

의뢰인은 말도 하기 싫다는 듯, 고갯짓하며 현관으로 안내한다.

광철이 주저하다 말을 꺼낸다.

광철: 시체처리는 반값에...
의뢰인: 아오.. (주먹을 쥔다)

광철은 양복 안주머니에서 돈을 꺼내어 의뢰인에게 주려고 하지만 되돌려주기 싫은지 현금을 꼭 쥔다.

의뢰인이 뺏어가듯 현금을 돌려받고, 광철은 머쓱한 웃음을 짓는다.

의뢰인이 그 자리에서 돈을 확인해 본다.

의뢰인: (화난 목소리로) 야!!!!! (논을 쥔 손으로 무언가 내놓으라는 듯 다시 손짓한다)

광: (의뢰인을 애처롭게 바라보며) 저.. 만 원만 어떻게 안 될까요?

의: (단호한 목소리로) 내놔.

바지 주머니에서 돈을 꺼내 의뢰인에게 돌려주려고 하지만, 아쉬운 듯 주저한다.
주저하는 손에서 가차 없이 돈을 빼는 의뢰인.
갈 채비를 마친 광철.

의뢰인: 가.

문을 열고 나갈 준비를 하지만 다시 뒤돌아

광철: 저 진짜 만 원만 안 될까요?
의뢰인: 아이 씨. 가라고. 진짜. (광철에게 실내 슬리퍼를 들어 치려고 한다.)

#13. 현관(저녁)
광철은 황급히 문을 열고 나간다.

광철: (당황한 목소리로) 안녕히 게세요.,, 네 ..
의뢰인: 안가?!
광철: 아 예예에.

의뢰인 실내화를 끝까지 들고 광철을 바라보다 문을 닫는다.
광철은 문 앞에서 서성이다, 신발을 제대로 고쳐 신는다.

#14. 인적이 드문 동네(밤)
의뢰인 집을 벗어나려는 광철에게 전화 한 통이 걸려온다.

광철: 네. 칠점사 흥신소입니다. (이야기를 듣다, 만족한 듯 웃으며) 네. 돈만 주시면 다 해드립니다.

fade out.

엔딩 크레딧.

<시나리오 예2 : 첫사랑 민수>

#프롤로그
어릴 적 현옥의 그림일기가 보인다.
- 오늘 학교에서 짝꿍을 바꿨따. 민수랑 짝꿍이 안댔따. 그래서 나는 기분이 나쁘따.

타이틀 - 첫사랑 민수

#1. 거리(낮)
현옥이 콧노래를 부르며 춤을 추는 듯 거리를 걷고 있다.

현옥: (혼잣말로) 민수야 잘 지냈어? (호들갑을 떨며) 주책이야~ 주책.

전화벨이 울린다.

현옥: (기분 좋게 콧소리로 받는다.) 여보세용~
친구: (무심하게 받는다) 현옥아~ 영화 보러 갈래?
현옥: (이쁜 척) 아 나 약속 있어 가지구~ 너 만수 알지? 민수! 민수 있잖아~
친구: (알 듯 말 듯 한 목소리로) 민수?
현옥: (설레는 목소리로) 초등학교 때~ 나 좋다고 따라다닌 애 알지? 개가 만나자더라~ 영화는 다음에 봐야겠다. 어쩌니?
친구: (민수가 생각난 듯 웃으며) 아~ 근데 너가 좋아했잖아?
현옥 : (살짝 굳어지지만 웃으며) 으응~ 기억하는구나? 아무튼, 끊을게~

#2. 골목(낮)
현옥: (골목길에서 혼자 춤추고 대사 없이 신나는 몸짓)

#3. 카페 앞(낮)
현옥이 카페 앞에서 거울을 꺼내 들고 거울을 본다. 거울을 집어넣으면서 카페 안으로 들어가는 현옥을 김구라가 궁금한 눈빛으로 바라본다.

#4. 카페 안(낮)
김구라가 카페 안으로 들어와서 고객을 찾아 두리번거린다.

현옥: (김구라를 바라보고 부끄러운 듯 손을 살짝 들며) 나야 현옥이
사기꾼: (의아한 표정으로 현옥을 바라본 후, 무엇인가 생각났다는 표정으로) 어 현
옥아~ 잘 지냈어? 진짜 예뻐졌다.
현옥: (부끄러워하면서) 나야 잘 지냈지. 넌 더 잘생겨 졌다~ 잘 지내?
김구라: 그럼~
현옥: 뭐 좀 마셔야지?
김구라: 난 네스퀵
현옥: 어쩌면 초등학교 때랑 변함이 없냐? (카페 점원을 바라보며) 아저씨~ 여기 네
스퀵 두 개 타주세요
김구라: (카페 점원을 바라보며) 진하게요~

#5. 카페 안(낮)
두 남녀가 음료와 디저트를 먹으며 즐겁게 이야기를 하고 있다. 잠시 후, 한 남자(민
수)가 카페 안으로 들어와 두리번거린다.

김구라: (웃다가 본론으로 들어가는 눈빛과 몸짓으로) 현옥아 근데 있잖아..

민수: (현옥를 바라보고 반가운 듯) 현옥아!

현옥이 놀라며 김구라와 민수를 번갈아 바라본다.

김구라: (놀란 얼굴로 민수를 쳐다보며) 민수씨? (뻔뻔하게 웃으며 명함을 꺼낸 후)
소개가 늦었습니다. 김구라라고 합니다. (보험 서류를 꺼내며 능청스럽게) 이번에 좋
은 보험이 하나 나와서 소개해 드릴려고 했어요. 어떻게 한번 들어 보시겠습니까?

현옥은 어이없는 표정을 짓고, 민수는 들고 있던 보험 파일을 뒤로 감춘다.

#6. 분수대 앞(오후)
현옥이 소주를 마시며 분수대로 걸어 들어오고 가방을 분수대 위에 놓는다. 잠시 후
행인이 지나가면서 현옥을 쳐다본다.

현옥: (술에 취한 목소리로 행인을 째려보며) 야~ 뭘 봐~ 너 보험 들었냐? 내가 오
늘 생명보험 타게 만들어줘? 어?

행인이 겁에 질려 도망간다.

현옥: (혼잣말로) 안그래도 내가 생명보험 하나 들려고 했어 (슬퍼하며 엉엉 운다.)

10) 스토리보드(콘티)

스토리보드(Storyboard)는 앞으로 촬영할 내용을 사진이나 그림으로 보여줌으로써 제작자나 스텝들이 한눈에 각각의 장면들을 예측가능하게 하며 의사소통의 중요 수단이 된다.

샷별로 사진이나 그림 등을 그려놓고 찍어야 할 영상의 사이즈나 카메라의 위치, 찍어야 할 내용, 대사 등을 기록한다. 스토리보드가 잘 작성되면 실제 촬영할 때 많은 시간을 절약할 수 있고, 실수 없이 찍을 수 있다. 제작비 또한 많이 절감할 수 있어서 스토리보드를 작성하는 것은 매우 중요한 작업이다.

다큐멘터리 같은 영상작업에서는 미리 스토리보드를 작성할 수 없으므로 스토리보드보다는 구성안이 더욱 중요하지만 스토리보드는 영화나 드라마, 뮤직비디오, CF 등과 같은 장르의 영상 작업에서는 매우 중요한 준비 작업이다.

TIP.<콘티>

> 콘티는 **대본형식의 콘티**(스크립트)와 **그림형식의 콘티**로 구분되어진다. 대본형식의 콘티는 그림이 아닌 글로 상황을 설명하는 것을 의미하고 그림형식의 콘티는 스토리보드를 의미한다. 콘티라는 용어는 주로 광고제작시에 많이 사용된다.

<스토리보드 예1 : 러브게임>

제목	러브게임(LOVE GAME)
소재	풋풋한 사랑 이야기
기획의도	남자와 여자가 만나 헤어지기까지의 사랑 이야기를 게임식으로 재밌게 표현한다.
줄거리	여자가 데이트를 하기 위해 도시락을 정성스럽게 준비한다. 남자는 여자가 약속 시간보다 늦게 오자 화가 나기 시작한다. 여자가 도착한 후에 함께 도시락을 먹지만 남자는 도시락이 맛이 없다고 생각한다. 하지만 여자의 정성을 생각해서 맛있게 먹으려고 노력

	한다.
	식사 후에 두 사람은 가위바위보 게임으로 딱밤 맞기를 한다. 재미로 시작했지만 서로 세게 때리기 시작한다.
	저녁이 되자 남자는 노래방을 가자고 한다. 여자는 마지못해 따라가지만 남자의 노래를 듣다가 참지 못하고 밖으로 나가 버린다.
영상소구점	각각의 에피소드 이후에 연인들 간의 데이트를 게임으로 비유한 장면들
장르	단편영화(코미디)
구성안	#1 여자와 남자가 수줍어하며 만나서 게임오락기 앞에 앉는다. 둘이 게임을 시작하는 뒷모습을 비추고 점점 게임기 안의 화면으로 바뀌고 딥 투 화이트로 게임기 안의 화면으로 전환. #2 화면이 게임기 안의 화면으로 바뀌고 게임기에선 게임 설명서가 나온다. (설명서에는 남녀가 사랑하면서 서로의 마음을 얻을 수 있는 방법과 절대 해서는 안 될 행동들을 알려준다.) #3 게임스타트 # 화면설명 화면 위엔 각각 남자와 여자의 체력이 하트아이콘으로 그려져 있다. (하트 아이콘은 남자가 본의 아니게 추한 행동을 해 여자의 마음이 줄어들면 남자의 하트아이콘이 줄어든다.) 처음엔 서로 사랑이 가득해 하트가 가득 채워져 있지만 여러 에피소드를 통해 남녀 각각 하트가 더 채워졌다가 떨어졌다가 반복한다. #4 여자가 집에서 설레이는 표정으로 남자에게 줄 도시락을 싼다. 이때, 네 컷이 차례대로 하나씩 나타나면서 도시락 싸는 모습을 보여준다. 그 네 컷 안에서 영상이 각각 진행되고 한컷 한컷 사라진다. 배경음악-발랄한 노래. #5 도시락을 펼치고 여자의 우쭐거리는 영상이 왼쪽에서 나오고 도시락을 받고 남자가 감탄하는 모습이 오른쪽에서 나온다. 여자의 영상이 먼저 나와서 정지상태가 되면 남자 화면이 나온다. 남자화면은 영상이지만 스톱 모션 식. 남자가 맛있게 먹는 모습이 나오고 효과음과 함께 다음 화면으로 넘어간다. #6 (게임화면) 여자얼굴과 남자 얼굴(사진)을 따서 좌우로 흔들리고, 여자캐릭터가 에네르기파를 쏘고 도시락 그림이 남자캐릭터에게 날아간다. 남자는 그걸 받아 넘어지고 눈이 하트모양으로 바뀌면 화면 위의 여자체력이 올라간다. (에네르기파를 쏘거나 남자가 받아 넘어질 때에 상황에 맞게 남자와 여자의 표정이 바뀐다.)

#7 남녀가 가위바위보를 해서 딱밤 맞기 게임을 하기로 하는데 처음엔 장난으로 시작하지만 점점 남녀가 승부욕이 붙고 남녀가 서로 이마를 세게 때려서 둘 다 씩씩거린다.

#8 (게임화면) 남녀 캐릭터가 싸우는 모습을 그리고 둘의 체력 모두 떨어지게 된다.

#9 남자가 노래방에서 고해를 부르고 여자는 크게 실망한다.

#10 (게임화면) 화난표정의 여자 캐릭터가 기죽은 표정의 남자 캐릭터에게 발차기를 하며 남자 캐릭터를 넘어뜨리면 남자의 체력은 와르르 다 없어지고 만다. 여자 캐릭터가 화면 밖으로 유유히 걸어 나가고 나면 게임오버를 나타내고 딥투블랙.

#11 남자의 패로 게임이 끝나고 만다. 게임이 끝나고 오락을 하고 있는 남녀의 뒷모습을 비추고 여자는 매정히 떠나고 남자는 붙잡지만 잡히지 않는 여자를 보고 좌절하는 뒷모습을 보여주고 딥투블랙.

< 대본형식의 콘티 >

#	순서	항목	장소	비디오	오디오	내용	비고
1	1	프롤로그	게임방	게임기	배경음	남녀 만남	F.S
				게임 조작기			C.U
				남녀 뒷모습 비추고 남자가 게임기에 동전을 넣는 모습			W.S
	2	Title		남녀 뒷통수 위에 Title 자막 표시	배경음	<Love Game>	Title 삽입
							dip to white
2	3	게임 장면	게임속	게임 설명서	효과음	게임 설명이 나오고 게임 스타트	
				게임 스타트			
	4	게임 화면 설명	게임속	게임 화면 설명	효과음	게임 화면의 게이지 설명	
3	5	게임속 ep. 1	주방	도시락을 싸는 여자	배경음 -발랄한 노래	설레는 표정으로 도시락을 싸는 여자	W.S
							네 컷 분할로 각각 다른 영상 진행
4	6	게임속 ep. 2	공원앞 / 지하철	남-여자친구를 기다림	배경음/ 효과음	약속 시간을 늦은	L.S
				남-초조한 눈빛으로 시계를 쳐다봄			W.S

				행동	음향	비고	샷
			역 앞	남-벤치에 앉기, 눕기, 휴대폰 만지기, 돌멩이 발로 차기		여자를 기다리는 남자	L.S
				남-화난 듯 집으로 돌아가려고 화면 밖으로 나갔다가 다시 돌아옴			
				남-짜증스러운 얼굴로 뒤를 돌아봄			W.S
				여-엉망인 상태로 해맑게 도시락을 흔들며 뛰어옴			L.S/F.S
				남-짜증나는 듯이 쳐다봄			B.S
				여-남자에게 미안한 표정 지으며, 뻔뻔하게 윙크를 날림			B.S
				남-언짢음			B.S
				여-남자에게 다가가 애교 부리며 팔짱을 낌/ 말풍선 "미안해~"			W.S
				남-화나서 뿌리치고 화면 밖으로 걸어나감			L.S
				여-애교 부리며, 화면 밖으로 남자를 쫓아감			L.S
5	7	게임속 ep. 3	잔디밭/ 공원	남녀가 공원에서 도시락을 펼침	배경음/ 효과음	남녀 데이트 장면1 -도시락 -여자가 도시락을 펼치는 영상 왼쪽에 먼저 전개, 여자의 영상 홀드 프레임 걸고 남자 영상 이 오른쪽에 서 나타나서 영상+스톱모션 식으로 전개	F.S→ 도시락C.U
				여자의 우쭐한 표정			B.S
				도시락을 받고 감탄한 남자			B.S
				맛을 보고는 급격히 흔들리는 남자의 눈동자			B.S→ C.U/B.C.U
				불안해하는 여자의 표정			B.S
				여자의 눈치를 보며 맛있는 척 연기하는 남자			O.S.S
				서로의 눈치를 보며 어색하게 웃는 남녀			W.S
				맛있다며 과장되게 허겁지겁 먹는 남자			W.S
				다시 해맑게 웃는 여자와 여전히 어색히 웃는 남자			B.S
6	8	1 Round	게임속	여자가 에네르기파를 쏘고 도시락 그림이 남자에게 날아감	배경음/ 효과음	게임 화면 -여자 게이지↑	F.S
				남자가 받고 넘어지며 눈이 하트모양으로 바뀜			스톱모션/ 실사 촬영해서 카툰효과
				화면 위의 여자 게이지 상승			
7	9	연결 장면		돗자리 정리하는 사진	효과음	연결 장면의 사진들	F.S
				배 움켜잡고 화장실로 달려가는 남자 사진			F.S
				걱정스러운 여자 표정 사진			B.S

				애써 미소지어주는 남자 사진 (뒷배경-화장실)			W.S
8	10	게임속 ep. 4	잔디밭 / 공원	화면 밖에서 안으로 걸어온 남녀가 벤치에 앉음	배경음/ 효과음	남녀 데이트 장면2 -가위바위보 -좌 우 왔다 갔다 하는 크롭 편집	F.S/L.S
				소소한 대화를 나누는 남녀			W.S/N.S
				남녀가 가위바위보를 해서 딱밤맞기를 함 (몇 번 반복)			W.S
				점점 승부욕이 생겨 서로 세게 때려 둘 다 기분 상함			W.S→ 가위바위보 C.U
9	11	2 Round	게임속	남녀 씩씩거리는 표정	배경음/ 효과음	게임 화면 -남녀 게이지↓	F.S
				남자가 손을 털며 때릴 준비를 살벌하게 함			스톱모션/ 실사 촬영해서 카툰효과
				남자가 여자의 이마를 때림			
				둘의 체력 모두 떨어짐			
10	12	연결 장면	게임속	둘이 각자 이마를 잡으며 서로 째려보는 사진	효과음	연결 장면의 사진들	W.S
				밴드 건네주는 사진			C.U
				여자가 남자에게 밴드 붙여주는 사진			F.S/N.S
				둘다 밴드 붙이고 머리 맞대고 어색하게 웃는 사진			B.S
11	13	게임속 ep. 5	노래방	노래방으로 들어가는 남녀	'고해'	남녀 데이트 장면3 -노래방	L.S/F.S
				남자가 자신있게 번호를 누름			W.S→ 리모컨C.U
				노래방 모니터에 '고해' 타이틀			C.U
				놀란 여자			B.S
				멋있는 척, 남자 열창			W.S
				실망한 여자, 노래방을 나옴			B.S→F.S
12	14	3 Round	게임속	화난 표정의 여자가 기죽은 표정의 남자를 발차기 하며 넘어뜨림	배경음/ 효과음	게임 화면 -남녀 게이지↓	F.S
				남자 게이지 다 없어짐			스톱모션/ 실사 촬영해서 카툰효과
				여자가 화면 밖으로 사라짐			
13	15	Game Over	게임속	Game Over	효과음	Game Over	
14	16	게임기 앞	게임방	오락을 하는 남녀 뒷모습	배경음/ 효과음	떠나가는 여자	dip to black
				매정히 떠나는 여자			
				붙잡히지 않는 여자를 보고 좌절하는 남자			
15	17	엔딩 크레딧		엔딩 크레딧	배경음	엔딩 크레딧	

제목	팔레트(palette)
소재	꿈, 슬럼프, 미술
기획의도	슬럼프에 빠진 사람들에게 자신이 간직했던 꿈과 좋아하는 일에 대해 시련이 와도, 휴식을 취하고 꿈에 대한 마음가짐을 잃지 않는다면 희망은 찾아올 것이라는 응원의 메시지를 희망찬 노래와 함께 전달한다.
줄거리	(유명한 미술계 아버지의 독녀로 자연스럽게 미술 입시를 하게 된 주인공이 슬럼프라는 시련을 겪고, 그 마음을 치유하기 위해 무작정 버스를 타고 떠나 그곳에서 꼬마 아이와 만나 꿈에 대해 다시 생각해보는 내용) [서론] 주인공의 가족은 유명한 미술가 집안으로 그로 인해 주인공은 자연스럽게 미술 입시를 하게 되었다. 어렸을 때는 마냥 즐거웠던 미술이 입시경쟁으로 힘들어져 간다. 어렸을 때처럼 더 이상 즐겁게 미술을 할 수 없는 주인공. 이 길이 정말 내게 맞을까? 방황하고 고민한다. 평소와 같이 학교에서 친구들을 도와주며 그림을 그리던 주인공, 유독 오늘따라 친구들의 칭찬과 선생님의 은근한 기대가 무겁게만 느껴진다. 슬럼프로 점점 힘들어진 주인공은 그림을 그리다 말곤 학원을 뛰쳐나가고 만다. 버스를 타고 가는 주인공, 어렸을 적 가족(어머니와 함께)과 함께 살았던 마을에 도착하게 된다. [본론] 무작정 발걸음을 옮기다가 주인공은 누군가와 부딪히게 된다. 부딪힌 상대는 7살 정도의 어린 여자아이. 아이는 엉덩방아 찧은 채 넘어져 있었고, 옆에는 물웅덩이로 인해 젖어버린 종이들이 나뒹굴었다. 아이는 울먹이며 젖은 종이들을 바라보더니 "이거 숙제하려면 필요한 건데..."라고 혼잣말하였다. 그리고 그런 아이 뒤로 남자아이가 뛰어온다. "숙제 한다면서 왜 그러고 있냐?" 남자아이는 여자아이가 넘어진 것을 보고 주인공에게 화낸다. 주인공은 여자아이에게 다시 사과하며 그냥 지나칠 수 없어 아이들과 함께 근처 문구점으로 향하였다. 문구점을 향하는 길, 주인공은 자신의 어렸을 적 시절이 떠올라 기뻐하는 여자아이에게 숙제가 무엇이었냐고 물었고 여자아이는 '소중한 것'을 그려오는 것이라고 대답했다. 거절을 잘못하는 주인공은 여자아

이의 부탁을 들어주었고 여자아이의 숙제를 돕기 위해 함께 마을을 돌아다니며 함께 이야기 나눴다. 문구점에 도착한 주인공은 여자아이에게 새 스케치북을 사 주었다.(남자아이는 토끼 머리핀을 골라 여자아이에게 선물해 주었음) 여자아이는 새 스케치북에 함박웃음을 지었다. 여자아이와 대화하고 이곳저곳을 돌아다니다 보니 어느새 노을이 졌고 그들은 바닷가 앞에 도착하게 되었다.

일렁이는 파도를 보며 무언가 생각난 듯 바닷가 앞 모래사장에 풀썩 주저앉아 그림을 그리기 시작한 여자아이, 주인공은 여자아이 옆에 앉아 조용히 아이를 지켜보았다. 오늘 본 여러 풍경들과 감정들을 생각하며 생각에 잠기는 주인공.

여자아이가 그림을 완성하자, 자신이 그리던 그림을 주인공에게 스윽하고 내밀었다. 바로 주인공이 그려진 그림이었다. 주인공은 깜짝 놀라 이게 무엇이냐고 물었고, 여자아이는 그녀에게 오늘 함께 자신과 있어준 선물이라고 답한다.

[결론]

여자아이에게 뜻깊은 선물을 받고 집으로 돌아간 주인공. 도착하자마자 주인공을 기다린 듯 소파에 앉아 계시는 아버지와 마주친다.

"오늘 학원 빼먹었다면서, 선생님께 전화 왔다.“

주인공은 자신이 겪었던 슬럼프와 오늘 있었던 모든 일들을 아버지께 말씀드렸고 그런 주인공의 말을 묵묵히 듣던 아버지는 아무리 좋은 기회였다고는 해도 아무런 말도 없이 학원을 빠지는 것은 안 되는 것이다. 반성하라고 말을 하였고 주인공은 아버지께 죄송하다고 말한 뒤 그림을 꼭 손에 소중하게 쥔 채 자신의 방으로 들어갔다.

주인공이 방에 들어가자 거실에 혼자 앉아 있는 아버지, 아버지도 방으로 들어간다. 서랍 속에서 꺼낸 가족 사진첩, 아버지는 한 장 한 장 앨범을 넘겨 보며 추억을 회상한다. 익살스럽게 웃고 있는 여자아이와 남자아이, 바로 어렸을 적 아버지와 어머니의 사진이었다.

(사진 클로즈업, 사진 속 여자아이는 오늘 만났던 꼬마 아이였다.)

"생일 축하해 여보...“

(Fade out 되며 이야기는 마무리된다.)

| 장르 | 뮤지컬 애니메이션 |

< 스토리보드 >

S#7. 길거리를 돌아다니는 주인공과 아이들

골목배경, 걷고있는 주인공과 아이들.
(남자아이는 뒤에서 따라온다.)
롱 풀샷

돌담+나무 배경, 주인공
꼬마에게 시선을 두어 시선을 아래로(로우앵글)
" 어디로 가볼까? "

울타리+마을 배경, 꼬마아이
주인공에게 시선을 두어 시선을 위로(하이앵글)
" 저 가고 싶은 곳 있어요! "

꼬마아이는 웃으면서
주인공의 손을 덥석 잡는다.

골목길을 향해 앞으로 나아간다.
꼬마아이에게 끌려가는 주인공
반주 시작

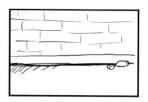

골목길, 벽이 보이는 구도

반주에 따라서 앞장서는 꼬마아이의 발,

그다음으로 따라가는 주인공의 발

마지막으로 남자아이의 발

반주 부분에서 마을 풍경들을 보여준다.

또 다른 마을풍경으로 트렌지션

또 바뀌었다가 화면이 위에서 아래로 틸트
(다음장면처럼 내려감)

틸트된 아래 부분에는 민들레가 피어있다.

민들레를 바라보는 주인공(로우앵글)
멋진 그림 그려

민들레 확대.
모두 칭찬 한다면 좋겠지

꼬마아이 옆에서 빼꼼 같이 본다.
무엇보다도

민들레를 꺾는 꼬마아이의 손
중요한건

민들레를 손에 들고 후 부는 꼬마아이.
흩날리는 씨들 쪽으로 화면 이동(오른쪽)
네 맘을 펼치는 것

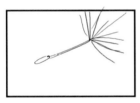

바람을 타고가는 씨앗 확대
뭐든지

이어서 날아오는 씨앗 위에는 주인공이 앉아있다.
그려봐

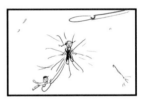

바로 뒤에는 앉아있는 꼬마아이,
매달려있는 남자아이
아무 걱정 하지 말고

위를 올려다 보고 있는 주인공.
시원한 바람 속에서 하늘을 유영한다.
그려봐

주인공이 손을 들고 어딘가를 가리킨다.
아무 걱정

같이 바라보는 꼬마아이. 활짝 웃는다.
하지 말고

<스토리보드 예3 : 死의찬미>

제목	死의찬미
소재	사의찬미, 김우진, 윤심덕
주제	자유롭지 못했던 시대의 비극적인 사랑
기획의도	여러 논란과 추측에 휩싸였던 천재 극작가 김우진과 한국 최초 여성 성악가 윤심덕의 동반자살 사건을 각색해 애니메이션으로 제작하고자 한다.
장르	모션 그래픽 애니메이션
인물소개	김우진 -1897년생, 장성 출생(1908년 목포로 이사) -천재 극작가 -부유한 집안으로 부족함 없이 성장함 -가업을 잇길 바라는 아버지의 뜻에 따라 일본으로 유학 -19세에 조혼 윤심덕 -1897년생, 평양 출생(1924년 경성으로 이사) -조선 최초 여성 소프라노 -가난한 집안으로 총독부의 지원을 받아 일본으로 유학 -서구적인 여성상을 가진 신여성
줄거리	일본 유학 시절 동우회 순회극단에서 처음 만난 심덕과 우진. 심덕과 우진은 서로에게 호감을 느끼게 된다. 짧은 유학을 마치고 조선으로 돌아온 심덕은 성악가로 데뷔하고 바쁜 나날을 보내며 우진과의 짧은 인연을 점차 잊어간다. 그러던 중 심덕은 우진으로부터 심덕을 가족음악회에 초대하고 싶다는 편지를 받게 되고 심덕은 설레는 마음으로 우진을 만나러 간다. 우진을 만나러 간 그곳에서 심덕은 조혼한 우진의 처를 만나게 되고

우진과의 마음을 정리하고자 한다. 그러던 중 심덕은 한 부호와 염문설이 나게 되고 하얼빈으로 떠나 힘든 나날을 보내게 되는데, 이때 우진과 편지를 주고받으며 의지하게 된다.

다시 경성으로 돌아온 심덕은 우진의 권유에 따라 연극배우로 데뷔하지만 실패하고, 조선총독부로부터 일제 찬양노래를 부르라는 명령을 받게 된다. 심덕은 일본회사와의 노래 녹음이 있다면서 일단 거절하고 일본으로 가게 되고, 일본에서 심덕은 회사에 부탁해 "사의찬미" 노래를 녹음한다.

심덕은 노래를 녹음한 후 아버지에게서 벗어나기 위해 일본에서 다른 곳으로 유학을 준비 중이던 우진에게 연락해 둘은 만나게 된다. 만난 두 사람은 밤 11시에 출발하는 배에 올라타고 자유로운 세상에서 다시 만나기를 바라며 동반 자살한다.

< 스토리보드 >

구분	비디오	동작 / 배경음 / 나래이션 / 대사
서론 #1		*년도랑 장소(관부연락선) 표시 *효과음(파도소리,배소리)과 bgm 넣기
		*보이 걸을 때 깜빡임 없고 속도 좀 빠르게
		*노크 2번만
#2		*빈 방을 확인하는 보이

		*의미심장한 쪽지를 보는 장면
		*풍덩소리가 들리고 호루라기를 부는 장면
		쪽지가 떨어지고 한국어로 글씨가 바뀐다. (쪽지)부디 짐을 집으로 보내주시오. 목포부 북교동 김수산, 경성부 서대문정 윤수선
타이틀 #3		사의찬미 타이틀이 나온다 *뒤에 영상 좀 더 어둡게
본론 #4		*절절하게 *1920년대 배경
#5		**윤심덕NA**-1921년. 일본. 우리 둘은 동우회 순회극단에서 처음 만났다.
		*년도랑 동경 표시 *동우회 순회극단에서 인사하는 두 사람

		*우진 클로즈업 추가 *책읽는 우진 모션주기 **윤심덕NA**-항상 조용하고 차분하게 앉아 있던 우진은, 글을 쓸 때면 빛나보였다. 그 사람 옆에 있는 것만으로도 나도 같이 빛나는 사람이 된 기분이었다.
		김우진에게 다가가는 윤심덕 **윤심덕NA**-우진에게 먼저 다가간 건 나였다. 처음엔 그저 단순한 호기심이었다.
		**윤심덕**: 뭐써요? **김우진**:....문학 비평이요 **윤심덕**: 대본 쓰고 연출만 하는 줄 알았는데, 비평 같은 것도 쓰나봐요?
		**김우진**: 그냥 가끔 씁니다.
		**윤심덕**: 흐음...(쓰고 있는 글을 유심히 본다) (책상에 걸터앉아 김우진을 바라보는 윤심덕) **김우진**: 뭘 그렇게 유심히 봅니까? **윤심덕**: 아니 그냥. 나도 문학에 관심이 좀 있어서 (김우진이 의외라는 듯이 쳐다본다.) **윤심덕**: 왜? 나는 뭐 관심있음 안되나? **김우진**:....아닙니다.
#6		**윤심덕NA**-그 사람과는 생각보다 이야기가 잘 통했다. 책 이야기, 노래얘기부터 어디 식당이 더 맛있다는 시시한 이야기까지. 이야기를 하다 보면 그냥 편했다. 동경으로 유학을 온 후 마음이 편했던 적은 우진과 함께 있을 때뿐이었다.

#7		*국수 먹는 우진 심덕 추가 식당에서 이야기를 나누는 윤심덕과 김우진
#8		*경성 표시 무대 위에서 노래를 부르는 윤심덕의 모습
		윤심덕NA-지나가는 꿈같은 짧은 유학을 마치고 돌아온 나는 오랜 꿈이었던 소프라노로서의 데뷔를 성공적으로 마쳤다. 누구보다도 화려하고 아름답게.
		윤심덕NA-이곳저곳에서 나를 불러줬다. 이따금 우진과 함께였던 유학시절이 생각났지만, 정신없이 노래를 부르다 보니 점차 무뎌졌다.
		박수치는 관객들의 모습
#9		윤심덕의 포스터가 경성 일대에 붙어있는 모습 *사람들 opacity 조절
#10		편지를 받는 윤심덕의 모습 **윤심덕NA**-그렇게 쉴 틈도 없이 바쁜 나날을 보내던 때, 우진에게 연락이 왔다.

		(편지를 보며 웃는 심덕) **김우진(V)**: 심덕. 난 곧 목포로 갑니다. 가족음악회에 당신을 초대하고 싶어요. 곧 볼 수 있기를
		(편지의 내용이 희미하게 보임) **윤심덕NA**-그때 잠깐 스쳐갔던 추억은 다 잊었다고 생각했는데, 갑자기 연락을 받은 순간 난 설렘을 주체할 수 없었다.
#11		(김우진의 집으로 들어가는 윤심덕의 모습) **윤심덕NA**-하지만 그 설렘은 오래가지 못했다.
#12		(김우진과 정점효 투샷) **윤심덕NA**-그의 옆엔 나와 너무 다른 단아한 모습의 그의 아내가 서있었다. 충격이었다. 주체할 수 없는 감정이 일었다(알 수 없는 감정이었다)
		(김우진과 정점효, 윤심덕의 앞모습) **윤심덕NA**-물론, 서로 사랑한다고 속삭이지도, 평생을 함께하자는 맹세를 한적도 없었다. 그래도...

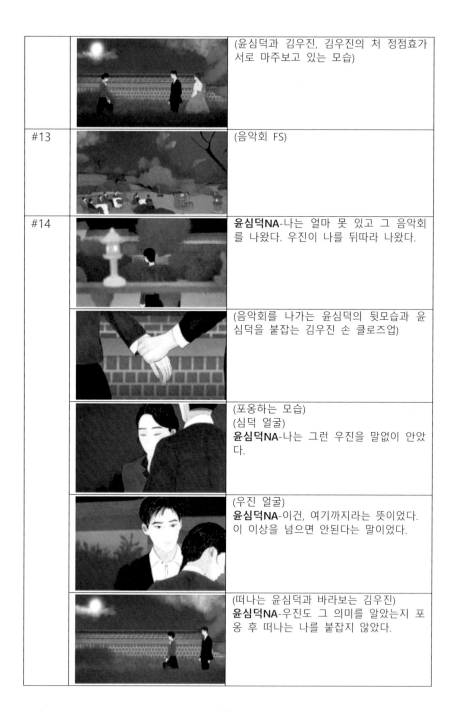

		(윤심덕과 김우진, 김우진의 처 정점효가 서로 마주보고 있는 모습)
#13		(음악회 FS)
#14		**윤심덕NA**-나는 얼마 못 있고 그 음악회를 나왔다. 우진이 나를 뒤따라 나왔다.
		(음악회를 나가는 윤심덕의 뒷모습과 윤심덕을 붙잡는 김우진 손 클로즈업)
		(포옹하는 모습) (심덕 얼굴) **윤심덕NA**-나는 그런 우진을 말없이 안았다.
		(우진 얼굴) **윤심덕NA**-이건, 여기까지라는 뜻이었다. 이 이상을 넘으면 안된다는 말이었다.
		(떠나는 윤심덕과 바라보는 김우진) **윤심덕NA**-우진도 그 의미를 알았는지 포옹 후 떠나는 나를 붙잡지 않았다.

#15		(아버지의 화난 모습-강압적인 아버지와 어쩔 수 없이 순응하는 김우진)
		윤심덕NA-그에게 아버지는 절대로 벗어날 수 없는 굴레였다. 모든 건 아버지의 뜻대로 결정되었고, 우진은 그 뜻을 거역하지 못했다. 옥죄는 굴레를 벗어나지 못하는 그에게 실망해서일까. 아님 내가 느낀 설렘이 사랑이었음을 알게 된 나에 대한 실망이었을까.
#16		(자신이 쓴 책들을 손으로 쓸어내리는 모습)
#17		상성합명회사 간판
#18		업무를 보는 김우진의 모습(책상 위에 쌓여있는 결제 서류들)
#19		글을 쓰는 김우진의 모습(캄캄한 방에서 전등 하나에 의지한 채 시를 쓰는 모습)

#20		머리를 짚으며 힘들어하고/ 한숨을 쉬며 양주를 마시며 창을 바라보는 모습
#21		성공적인 데뷔장면에서 가난한 집안으로 바뀌는 장면
#22		**윤심덕NA**-생각해보면 나에게도 절대 벗어나지 못하는 굴레가 있었다. 나를 옥죄는 굴레는 가난이었다.
		어머니께 돈봉투를 드리는 장면
#23		**윤심덕NA**-아무리 발버둥쳐도 가난에서 벗어날 수 없었던 그때 (찰칵소리)염문설마저 나를 옥죄었다

#24		이용문과 이야기를 나누는 장면 사진이 찍히고 사진이 줌아웃되면서 해당 사진이 올라간 부정적인 기사가 보임
#25		신문을 보고 좌절하고 우는 윤심덕
#26		윤심덕의 공연 홍보물을 보고 그냥 지나쳐가는 사람들
		홍보물이 밟히는 장면 **윤심덕NA**-어디서부터 잘못된 거였을까. 동경으로 유학을 간 것? 소프라노로 데뷔한 것?
#27		수군거리는 사람들과 얼굴을 기리고 거리를 걷는 윤심덕
#28		집 안에서 쭈그려 누워 우는 모습 **윤심덕NA**-그 순간 생각나는 사람은 김우진 뿐이었다
#29		가방을 들고 집을 나서는 윤심덕 **윤심덕NA**-우진과 함께한다면, 유학생활 때처럼 조금이나마 편하고 즐거울 수 있을 것 같았다. 그가 곁에 없다면 도저히 (지금을) 버틸 수 없을 것만 같았다.

#30		(회상)유학시절 서로를 보고 웃는 두 사람의 모습 슬로우모션
#31		하얼빈 역 외관 모습 *하얼빈 자막으로 표시 **윤심덕NA**-나는 그 고통에서 벗어나기 위해 하얼빈으로 향했다. 하얼빈으로 간 나는 우진에게 편지를 보냈다.
#32		책상에 올려진 편지를 읽는 김우진
#33		김우진에게서 온 답장을 읽는 윤심덕 **윤심덕NA**-그래도 이 시시한 내용의 편지가 그나마 나를 숨쉬게 했다.
#34		편지를 쓰는 두 사람의 모습

#35		**윤심덕NA**-우리의 편지내용이 거창한 건 아니었다 유학시절 때처럼 시시했다. 오늘은 뭘 먹었고, 어떻게 지내고 있는지.
#36		**윤심덕NA**-얼마 있다(그후) 나는, 형부의 부고소식을 듣고 경성으로 돌아왔다. 다시 우진을 만났다. 우진은 나에게 토월회 입단을 권했다. (토월회 설명 자막)
#37		**윤심덕NA**-그렇게 연극배우로 새시작을 했지만 돌아온 건 나를 향한 차가운 시선들이었다.
#38		고개를 젓고 떠나는 사람들
#39		연극을 하는 윤심덕의 조명이 꺼지며 털썩 주저앉는 윤심덕의 모습
		윤심덕을 뒤에서 지켜보는 김우진

#40		조선총독부로 들어가는 모습 **윤심덕NA**-나의 불행은 여기서 끝이 아니었다.
#41		**조선총독부**: 조선 최고의 소프라노 윤심덕, 제국을 위해서 찬양노래를 불러야 하지 않겠나?
		윤심덕: 제가 닛토레코드라는 일본 회사에 전속계약이 되어있습니다.
		(주먹 쥔 부분부터 나오게) **윤심덕**: 지금은 음반 녹음을 위해 오사카로 가야하니 끝난 후 돌아와 생각해보겠습니다.
#42		이내 문을 닫고 나온 윤심덕이 문 앞에서 주저앉는 모습
#43		**윤심덕NA**-아름답게 빛나던 그 찰나. 나는 그 찰나에 산다. 이 찰나를 얻을 수 없게 된다면 나는, 죽은 사람이나 마찬가지일 것이다.

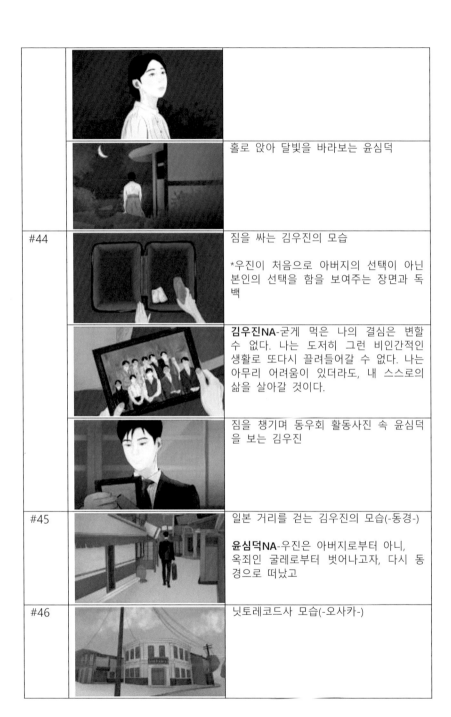

		홀로 앉아 달빛을 바라보는 윤심덕
#44		짐을 싸는 김우진의 모습 *우진이 처음으로 아버지의 선택이 아닌 본인의 선택을 함을 보여주는 장면과 독백
		김우진NA-굳게 먹은 나의 결심은 변할 수 없다. 나는 도저히 그런 비인간적인 생활로 또다시 끌려들어갈 수 없다. 나는 아무리 어려움이 있더라도, 내 스스로의 삶을 살아갈 것이다.
		짐을 챙기며 동우회 활동사진 속 윤심덕을 보는 김우진
#45		일본 거리를 걷는 김우진의 모습(-동경-) **윤심덕NA**-우진은 아버지로부터 아니, 옥죄인 굴레로부터 벗어나고자, 다시 동경으로 떠났고
#46		닛토레코드사 모습(-오사카-)

#47		(녹음실) **윤심덕NA**-나는 음반 녹음을 위해 오사카로 향했다. 내 삶은 조선, 일본 그 어느 곳에서도 순탄하게 흘러가지 않았다. 나의 '사의찬미'처럼.
		녹음실에서 노래를 부르며 눈에 눈물이 맺히는 윤심덕
#48		우진에게 연락하는 윤심덕
		(전화) **윤심덕NA**-더 이상 버틸 수가 없었다. **윤심덕**: 우진...(울먹이며) 지금 오지 않으면, 우린 앞으로 만날 수 없겠지.

	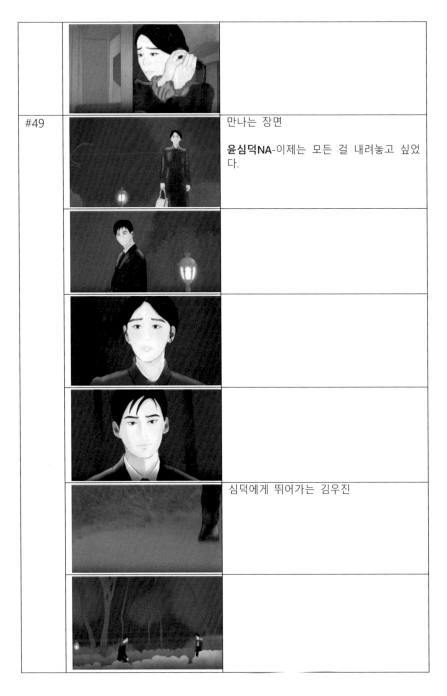	
#49		만나는 장면 **윤심덕NA**-이제는 모든 걸 내려놓고 싶었다.
		심덕에게 뛰어가는 김우진

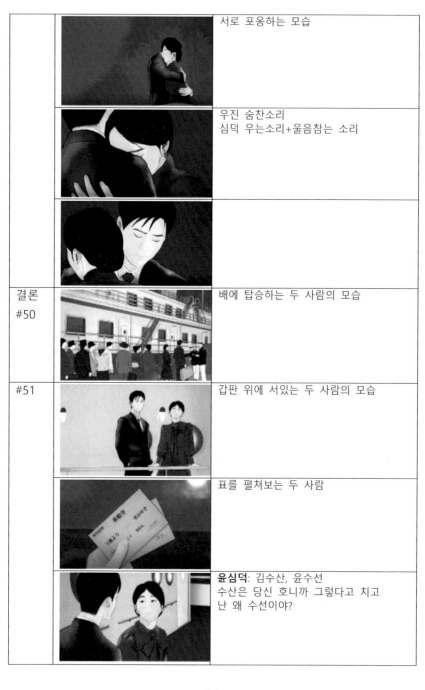

		서로 포옹하는 모습
		우진 숨찬소리 심덕 우는소리+울음참는 소리
결론 #50		배에 탑승하는 두 사람의 모습
#51		갑판 위에 서있는 두 사람의 모습
		표를 펼쳐보는 두 사람
		윤심덕: 김수산, 윤수선 수산은 당신 호니까 그렇다고 치고 난 왜 수선이야?

	김우진: 수산 옆에 있는 사람이라고 해서 수선이라고 썼는데, 별론가? **윤심덕**: 아니. 좋아
	서로 마주보고 웃는다.
	입을 맞추는 장면 슬로우모션
	윤심덕NA-우진은 척박했던 내 삶에 유일한 나무였다. **김우진NA**-심덕은 나에게 햇살 같은 안식처였다. **같이**: 자유롭게 흘러가는 저 바다처럼 다음생엔 자유롭게 흘러가다 만나는
	fade out 풍덩 소리가 들린다.
#52	->사의찬미 원곡이 나오면서 회상

11) 예산

영상제작은 기획부터 제작, 후반작업에 이르기까지 모든 과정에서 비용이 발생한다. 제작자의 경제적 상황을 고려하여 주제를 잘 표현하면서 제작 비용을 줄일 수 있는 최선의 방법을 선택해야만 한다.

(1) 기획 단계(Pre-Production)
#자료 조사 비용 : 교통비, 식비, 담당자(전문가) 섭외비, 현장 답사비, 도서 구입비 등
#제작 준비 비용 : 소품 구입비, 세트 제작비, 의상 제작비(대여비), 테이프 (메모리카드) 구입비 등

(2) 제작 단계(Production)
#촬영 진행 비용 : 촬영 장소 대여료, 배우 출연료, 식비, 교통비, 장비 대여료, 차량 대여료 등

(3) 후반작업 단계(Post-Production)
#편집 비용 : 식비, 내레이터 인건비 등
#추가 촬영 비용

각 단계별로 인건비(기획, 연출, 촬영, 조명, 기술, 음향, 편집, 작가 등)가 추가될 수 있다.

12) 영상의 길이

영상의 길이는 영상의 종류에 따라서 짧을 수도 길 수도 있다. 너무 짧아서 제작자의 의도가 충분히 전달되지 않을 수도 있고 너무 길어서 지루해질 수도 있다. 따라서 적정한 길이로 만들어야 한다.
제작진들이 힘들게 촬영했다고 해서 불필요한 장면들을 넣어서는 안 된다.

13) 촬영 및 제작 계획서

촬영 및 제작 계획서에는 여러 가지 상황들을 종합하여 촬영(제작) 날짜 및 요일별 세부사항을 기록한다.

스태프 스케줄, 배우 스케줄, 장소 섭외, 장비 대여, 날씨, 인터뷰 섭외 등 여러 가지 상황들을 고려해서 효율적으로 촬영(제작)계획을 세워야만 한다.

<촬영계획서 예1 : 해방촌에 살어리랏다.>

제목	해방촌에 살어리랏다.
소재	해방촌 마을
주제	내·외국인이 함께 호흡하며 일상과 예술이 하나 되는 해방촌
기획의도	재개발 열풍이 부는 오늘날, 높은 빌딩과 건물 사이로 옛 모습을 간직한 마을이 있다. 다른 곳처럼 무조건 높은 건물을 세우는 것이 아닌, 특별한 변화를 택한 해방촌, 이 특별한 마을의 삶을 들여다보고자 한다.
줄거리	해방촌의 평범한 일상과 해방촌의 역사를 보여준다. 수십 년간 정체되었던 해방촌에 예술마을 프로젝트로 인해 변화가 일어나고 있다. 또한 외국인들의 유입이 드러남에 따라 해방촌의 분위기가 바뀌고 있다. 옛것을 보존하며 새로운 변화를 시도하고 있는 해방촌을 보여준다.
영상소구점	· 회색빛 건물들로 가득했던 과거의 해방촌이 지금은 알록달록 예쁜 벽화로 변했다는 점. · 외국인들이 많이 거주하게 되면서 내·외국인이 함께 어우러져 정을 쌓아가는 모습.
장르	교양 다큐멘터리
구성안	
프롤로그	◆ 해방촌 오거리 아침과 낮의 모습 - 정상속도/ 셔터스피드 느리게 하나 더 촬영해오기. ◆ 해방촌의 일상생활 모습 (일상생활 모습은 중간 인서트 컷으로도 활용) - 바쁘게 출근/등교하는 내국인(어르신, 아저씨, 아줌마, 학생, 유치원생)과 외국인의 모습. - 버스정류장에서 버스 기다리는 사람들

	- 벽화 길을 따라 등교 중인 여학생 - 가게 셔터 올리면서 장사 준비하는 어르신들 - 분주하게 뛰어가는 사람/ 공원에서 운동하는 사람 - 복잡한 도로와 다닥다닥 붙어있는 집들의 모습 - 해방촌 타이틀 - 해방교회에서 예배 끝나고 나오는 사람들/ 배달 오토바이 - 한신옹기/ 해방촌 전경/ 가로수길 - 남산타운 함께 잡아서 남산 아래 동네라는 것 보여주기
서론	◆ 재개발 공사 중인 곳의 모습 ◆ 해방촌의 역사를 보여 준다.(해방촌의 과거와 현재) 　- 과거의 해방촌 인터뷰 (사진작가 할아버지, 신흥시장, 주민센터, 경로당, 한신옹기 할머니) 인터뷰 내용 　·〈경로당 관계자 분〉 　① 해방촌 이름의 유래는 무엇인가요? 　② 해방촌이 형성되었을 당시 생활환경은 어땠나요? 　　어떤 식으로 경제 활동을 하며 생활을 유지해 나갔나요? 　③ 올라오면서 보니까 주한 미군이 있던데, 주한미군은 언제 　　들어온 건가요? 　④ 미군이 들어오면서 생긴 마찰이 있나요? 　⑤ 해방촌이 지금까지 유지될 수 있었던 이유는 무엇인가요? 　⑥ 언제부터 외국인이 이렇게 많이 들어왔나요? 　⑦ 신흥시장에 사람도 없고 장사하시는 분들도 없던데 비활성화 　　되어가는 이유가 있나요? 　⑧ 재개발 얘기가 많았는데 재개발되지 않은 이유가 있나요? 　⑨ 환경개선 사업을 하면서 예술마을이 되었는데 어떠신가요? 　⑩ 예전과 비교해서 지금의 해방촌은 얼마나 달라졌나요? 　⑪ 108계단은 일본인들에 의해서 만들어졌고, 신사참배를 하는 　　곳도 있었다는 데 현재는 사라진 건가요? 　⑫ 특별한 분들이 살고 계신지. 가장 오래된 집이 어딘지. 　·〈어르신〉 　① 언제부터 이곳에서 사셨나요? 어떻게 오시게 되었나요? 　② 가파른 언덕과 위험한 도로가 많은 데 괜찮으세요? 　③ 옛날과 지금을 비교했을 때 해방촌의 모습이 얼마나 변했나 　　요? 옛날 모습 좀 많이 말씀해주세요 　④ 해방촌을 돌아다니다 보니, 　　다양한 꽃그림과 벽화를 많이 볼 수 있는데 변화하는 해방촌이 　　마음에 드시나요? 　⑤ 이사하지 않고 꾸준히 이 마을에서 사시는 이유가 있나요? 　- 역사 박물관 　- 주민센터 뒤 비석(동장 이봉천 기적비)

	- 용산고 안 순국학도탑 - 108계단 위 신사참배하던 자리 - 두텁바위 (후암동 옛 한글 지명)로 안 전쟁서 터 표석 - 과거 요코(스웨터)공장 사진 - 오래된 세탁소 - 해방교회, 해방성당 - 역사 사진
본론	◆ 개발열풍이 비켜가 1980년대 풍경을 간직하고 있는 해방촌 - 신흥시장의 옛 모습과 현재모습의 사진자료 - 낡고 쇠잔한 집들 - 종점수다방/ 빈가게 - 요코 공장의 현재 모습 - 오래된 가게 **＜상점 인터뷰 내용＞** ① 언제부터 일을 시작하셨나요? ② 왜 해방촌에서 일을 시작하셨나요? ③ 이곳을 떠나지 않고 장사하게 되는 해방촌의 매력은 무엇인가요? ④ 예전과 비교했을 때, 장사하면서 달라진 점이 있나요? ⑤ 해방촌에서 장사를 하시면서 어떤 점을 느끼셨나요? ◆ 해방촌에도 개발의 바람은 불었으나 주민들의 반대로 무산. - 해방촌에 높은 빌딩이 들어서지 못하는 이유 - 2009년 해방촌 일대가 '남산~용산공원'을 잇는 녹지로 복원된다는 말이 있었는데 해방촌 주민들이 반대가 심했다고 한다. 그 이유는? (남산 그린웨이) - ＜거주민 인터뷰＞와 ＜부동산아저씨 인터뷰＞ ◆ 수 십 년간, 정체됐던 해방촌에 최근 특별한 변화의 바람이 불고 있다. - 현재의 해방촌 인터뷰 & 과거와 현재의 해방촌 비교 (사진작가 할아버지, 신흥시장, 주민센터, 경로당) · 환경 개선 사업으로 예술마을 만들기 (벽화) 벽화 그린 사람들 인터뷰 · ＜보성여고＞ ① 이곳에 거주하시고 계신가요? ② 벽화 그리기에 어떻게, 왜 참여하게 되셨나요? ③ 그린 벽화에 담겨 있는 의미가 있나요? ④ 벽화가 생기면서 해방촌이 예술마을로 많이 알려졌고 취재나 촬영도 많이 오는데 기분이 어떠세요?

· <주민센터 동장님 인터뷰>
① 예술 마을 프로젝트를 추진하시게 된 이유가 무엇인가요?
② 그린 벽화에 담겨 있는 의미가 있나요?
③ 벽화가 생기면서 해방촌이 예술마을로 많이 알려졌고
   취재나 촬영도 많이 오는데 기분이 어떠세요?
④ 예술마을로 변한 해방촌을 보고 주민들의 반응은 어떤가요?
⑤ 어르신들이 벽화 그린 것에 대해 잘 모르고 있던데 그 이유는?
⑥ 앞으로 해방촌이 이렇게 좀 더 변했으면 하는 것이 있나요?
   (앞으로 해방촌의 변화나 발전 계획이 있으신가요?)
   있으시다면 간단하게 말씀해해주세요.
- 벽화 자료 (before & after 사진으로 영상 만들기)
· 외국인의 유입으로 분위기 전환
- 언제부터 외국인이 많이 들어오기 시작했는지 인터뷰로 보여주기
  (해방촌에 오래 거주하신 분을 통해)
- 해방성당 바자회 (5월 26일)
- 맥주 거리 (한국인 친구와 외국인 친구가 함께 어울리는 모습)
- 이국적인 카페, 레스토랑
 · 'HACKNEY 해크니'
 · 버거마인(버거뷔페)
 · 자코 비버거(내장파괴버거)
 · 투 핸즈 버거
 · 경양식당
 · 인디고(퓨전레스토랑)
 · 젠틀 레이디 컵케이크
   <식당 주인분들 인터뷰>
   ① 식당 하신지 얼마나 되셨나요?
      외국 손님이 많이 오시나요?
   ② 외국 손님들은 주로 어떤 음식을 많이 주문하세요?
   ③ 외국 손님들을 위해 개발하신 퓨전 요리가 있으신가요?
   ④ 외국인 손님의 입맛을 맞추기 위해 기존 한국 음식 레시피에서
      변형하여 만드시는 게 있나요? (예를 들면 소스 바꾸기/ 같은 메
      뉴라도 한국인 손님과 외국인 손님의 음식에 차별을 두나요? 매
      운 맛을 좀 약하게 한다던가..)
   ⑤ 이 식당만의 특별한 음식이 있나요?
   ⑥ 외국인 입맛에 맞춘 음식이 있나요?
   ⑦ 이 거리에서 축제 같은 것도 하나요?
   ⑧ 외국인이 많이 거주하지 않았던 때와 지금을 비교했을 때,
      어떤가요?
- 이슬람 사원
- 음식을 나눠먹는 내, 외국인
- 다문화 가정 인터뷰
- 외국인 학교

	- <외국인과 더불어 살아가는 거주민 인터뷰>
	  - <외국인 인터뷰>
	    안녕하세요. 저희는 경인여대 영상과 학생들입니다.
	    저희는 학교 과제로 해방촌을 주제로 한 다큐멘터리 제작 중입니다.
	    영상에 들어갈 인터뷰를 부탁드립니다.
	    (오케이 하시면)
	    start!!
	    ① 먼저 이름과 국적을 말씀해 주세요.
	    ② 한국에 언제 오셨나요?
	    ③ 한국에 들어와 이곳에서 계속 사셨나요?
	       (계속 살지 않은 분이라면 질문 하나 더!!
	       - 전에 살던 동네와 이곳을 비교했을 때 다른 점이 있나요?)
	    ④ 이곳에 어떻게 정착하게 되셨어요?
	    ⑤ 해방촌에 대해서 어떻게 생각하세요?
	    ⑥ 이곳에서 지내시면서 좋은 점은 뭔가요?
	    ⑦ 언제까지 이곳에서 사실 예정이세요?
	    ⑧ 해방촌 주민분들은 어떤가요?
	    ⑨ 한국 분들과 의사소통에 지장이 많을 텐데 괜찮으세요?
	    ⑩ 한국의 문화와 자국의 문화가 섞이고 있는 느낌을 받은 적이
	       있나요?
	    ⑪ 이 마을의 환경은 살기에 어떤가요?
	    ⑫ 가파른 도로가 많은 데 다니시기 괜찮으세요?
	    ⑬ 이 동네에 살면서 기억에 남는 추억이 있나요?
	       있다면 말씀해주세요.
	    ⑭ 해방촌(이 동네)의 매력은 무엇이라고 생각하나요?

결론	◆ 개발이 아닌 특별한 변화를 택한 해방촌 - 기존의 건물을 허물고 높은 빌딩을 세우는 것만이 발전은 아니다. 옛 모습을 간직하며 현대적인 감각을 더해주는 것이 더 큰 발전일 수도 있다.

에필로그	◆ 해방촌 오거리 밤의 모습
	  - 정상속도/ 셔터스피드 느리게 하나 더 촬영해오기.
	
	◆ 하루를 마감하는 사람들
	  - 집에 불이 꺼지는 장면.
	  - 가로등 불빛 아래 집. 가파른 언덕
	  - 장사 끝내고(불 끄고) 셔터 내리는 장면
	  - 퇴근하는 사람들. 집으로 돌아가는 사람들
	
	◆ 남산 위에서 해방촌 전경/야경

<1차 촬영계획서>

A팀(슬기/소나)		B팀(기연/형덕)
슬기-삼각대 소나-카메라, 삼각대	AM6:00 남영역에서 만나!!	기연-카메라 형덕-경로당선물, DSLR, 테이프(8개)

AM6:30까지 각자 위치로 가서 카메라 setting하기
① auto/ auto로 되어 있는지 두 군데 확인
② menu 버튼 누르고 16:9 "on"으로
③ 인터뷰할 경우!! 마이크 연결하고 전원버튼 올리고(와이어리스도 전원올리고)
　　오디오 채널 CH1.2 다 올려주고 Audio 버튼 눌러서 소리 다 들어오는지 확인.
④ setting이 끝났으면 5-10분 동안 테스트합니다.
　　화면은 괜찮은지 소리는 들어오는지 확인.
⑤ DSLR 쓸 경우, 프레임 수 조절하고 해야 됨.
※ 현장음 가져오기!! 아무 소리 안 나는거!!
각 팀당 테이프 4개씩 드립니다.
테이프 1 - 인터뷰 테이프
테이프 2 - 인서트 컷(마을 풍경-일상생활)
테이프 3 - 벽화 컷(예술마을이라는 걸 보여주는 컷만)
테이프 갈아끼우기 귀찮을 것 같기도.. 그래도 분리해서 찍는게 낫겠지?
테이프 4 - 여유분
테이프에 뭐 찍은 건지 기록하는 거 잊지 말고!!

윗동네에서 시작	AM7:00~9:40 촬영	아랫동네에서 시작

　　프롤로그에 들어갈 해방촌의 일상생활 모습을 많이 찍어오면 되는 겁니다.
　　교수님이 늘 말씀하셨던 인서트 컷을 2시간 40분 동안 겁나 많이 찍는거에요~ㅋ
꼭 들어갔으면 하는 장면
① 바쁘게 출근/등교하는 내국인(노인,아저씨,아줌마,학생,유치원생)과 외국인의 모습
② 버스정류장에서 버스 기다리는 사람들의 모습
③ 벽화 길을 따라 등교 중인 여학생들
④ 가게 셔터 올리면서 장사 준비하는 어르신들
⑤ 공원에서 아침 운동 하는 사람
⑥ 분주하게 뛰어가는 사람
⑦ 가파른 언덕 올라가는 어르신
⑧ 복잡한 도로
⑨ 다닥다닥 붙어있는 집들의 모습

⑩ 남산타운 함께 잡아서 남산 아래 동네라는 것도 보여주기

⑪ 해방촌 타이틀, 해방교회

⑫ 신사참배 하는 곳이 있었던 자리 현재는 어떻게 변했는지 보여주기

체크하면서 촬영해주세요^^(두 팀 다 못 찍은 장면은 석가탄신일을 이용해서
찍읍시다)

이 외에 각자 돌아다니면서 예쁜 그림 많이많이 찍어 옵시다!!!

벽화는 석가탄신일에 한꺼번에 찍는 시간이 있을 거에요~

벽화를 몽땅 찾아내겠다고 집착하지 않아도 됩니다.

독특하고 일상적인 장면을 찍는 것이 이번 촬영의 목표^^

AM10:00 우리지금만나

(B팀이 올라와요. 전화하시고^^/ 형덕이는 경로당에 연락하면서 올라와윰ㅋ)

버스타고 올라오면 카메라 들고 앉아서 바깥 모습을 찍어도 괜찮지 않을까?ㅋ

경로당으로 GO~ GO~

경로당 관계자 분/ 할머니 할아버지분들과 인터뷰.

<관계자 분>

역사적인 부분을 많이 여쭤봅시다.

① 해방촌 이름의 유래는 무엇인가요?

② 해방촌이 형성되었을 당시 생활 환경은 어땠나요?

어떤 식으로 경제 활동을 하며 생활을 유지해 나갔나요?

③ 올라오면서 보니까 주한 미군이 있던데, 주한미군은 언제 들어온 건가요?

④ 미군이 들어오면서 생긴 마찰이 있나요?

⑤ 해방촌이 지금까지 유지될 수 있었던 이유는 무엇인가요?

⑥ 언제부터 외국인이 이렇게 많이 들어왔나요?

⑦ 신흥시장에 사람도 없고 장사하시는 분들도 없던데 비활성화 되어가는 이유가
있나요?

⑧ 재개발 얘기가 많았는데 재개발되지 않은 이유가 있나요?

⑨ 환경개선 사업을 하면서 예술마을이 되었는데 어떠신가요?

⑩ 예전과 비교해서 지금의 해방촌은 얼마나 달라졌나요?

⑪ 108계단은 일본인들에 의해서 만들어졌고, 신사참배를 하는 곳도 있었다는 데
현재는 사라진 건가요?

⑫ 특별한 분들이 살고 계신지. 가장 오래된 집이 어딘지.

질문의 순서를 쓴 건 아닙니다~ 가서 자연스럽게 여쭤봅시다!!

빠진 질문이 있다면 카톡으로 연락 주세요!!

<어르신>

① 언제부터 이곳에서 사셨나요? 어떻게 오시게 되었나요?

② 가파른 언덕과 위험한 도로가 많은 데 괜찮으세요?

③ 옛날과 지금을 비교했을 때 해방촌의 모습이 얼마나 변했나요?

옛날 모습 좀 많이 말씀해주세요

④ 해방촌을 돌아다니다 보니, 다양한 꽃그림과 벽화를 많이 볼 수 있는데

변화하는 해방촌이 마음에 드시나요?

⑤ 이사하지 않고 꾸준히 이 마을에서 사시는 이유가 있나요?

경로당 촬영 끝나면 점심먹자!! 후식은 그 다방!! 다방위치 알아야하는데..

주인과 안면트기ㅋㅋ

밥을 먹고 나면 몇 시쯤 되었을까.. 경로당 인터뷰가 얼마나 걸릴지 몰라서>.<

① 신흥시장 촬영(과거의 모습이 남아있는 곳)

② 부동산 방문.

가장 오래된 집/ 가장 가파른 언덕/ 외국인 많이 사는 지역/ 가내수공업 하는 곳

여쭤보기

- 외국인이 운영하는 식당 위치

- 다시 찢어져서 촬영

~PM3:40까지

③ 베짜는 할머니. 프로펠러 할아버지 등 특이한 분을 담아오믄 좋겠다

④ 이슬람사원~

인터뷰를 대비해놔야 함. 뭘 여쭤보지?

PM 4:00 촬영종료	

카메라 2대
반납하기
	<용산구청으로>
	① 벽화 그리는 영상 받을 수 있는지
	② 과거 사진들
	③ 용산구청 관계자와의 인터뷰를 할 수 있는지
	④ 재개발과 관련한 질문하기(녹음이라도..)
	  예술마을을 만들겠다고 계획하신 목적
	⑤ 예술마을로 만드는데 반대는 없었는지(갈등)
	⑥ 예술마을을 만드는데 어떤 분들이 참여했는지
	⑦ 예술마을이 되면서 촬영도 많이 나오고 화제가 되었는데
	  앞으로 더욱 활성화시킬 계획을 가지고 계신지.
	  어떤 방법으로?
	⑧ 해방촌에 거주 중인 내국인과 외국인의 수
	  몇 가구?(이런 정보는 내레이션 할 때 필요할지 몰라서)

※ 어떤 변수가 생길지 모르겠다. 지금 점심 먹고 나서 촬영하는 부분이 문제야..(카톡하자)

오전에 보성어고에 전화해서 혹시 오늘 점심시간은 괜찮으시냐고 물어보자.

<2차 촬영계획서>

AM 09:00	남영역에서 만나기 소나 - 촬영계획서/ 슬기 - 스케치북, 카메라/ 기연 - 삼각대 형덕 - DSLR, 카스타드 6봉지, 테이프7개

09:30	해방촌 도착(후암동 종점에서 내리기)해서 촬영 세팅!!
	① auto/ auto로 되어 있는지 두 군데 확인
	② menu 버튼 누르고 16:9 "on"으로
	③ 인터뷰할 경우!! 마이크 연결하고 전원버튼 올리고
	   (와이어리스도 전원 올리고) 오디오 채널 CH1.2 다 올려주고 Audio
	버튼 눌러서 소리 다 들어오는지 확인.
	④ setting이 끝났으면 5-10분 동안 테스트합니다.
	   화면은 괜찮은지 소리는 들어오는지 확인.
	⑤ DSLR 쓸 경우, 프레임 수 조절하고 해야 됨.
	※ 현장음 가져오기!! 아무 소리 안 나는거!!

09:30~
10:40
	벽화 집중적으로 촬영
	① Before 사진에 있는 구도와 비슷하게 촬영.
	② 벽화와 사람들이 어울리게 촬영하기(ex)벽화 거리 옆으로 지나가는
	사람들)
	③ 해방촌 오거리 올라갈 때,
	   신흥시장 들러서 반찬가게 들리기(영이어머니 과거사진)
	④ 1차 촬영 때, 못 찍은 부분
	   - 공원에서 운동하는 사람
	   - 남산타운 함께 잡아서 남산 아래 동네라는 것 보여주기
	   - 해방교회, 해방성당
	   - 신사참배 하던 터
	   - 용산2가동 주민센터 뒤쪽에 선 비석(동장 이봉천 기적비)
	   - 두텁바위(후암동 옛 한글 지명) 안
	     복지법인 영락보린원 정문 앞에 전쟁서터 표석
	   - 용산고 안에 순국학도탑
	   - 해방촌 오거리(정상속도/ 셔터스피드 느리게)

11:00~ 11:30	'남산기원'가서 김영무 사진작가님 인터뷰하기 ① 해방촌 이름의 유래는 무엇인가요? ② 해방촌이 형성되었을 당시 생활 환경은 어땠나요? 어떤 식으로 경제 활동을 하며 생활을 유지해 나갔나요? ③ 올라오면서 보니까 주한 미군이 있던데, 주한미군은 언제 들어온 건가요? ④ 미군이 들어오면서 생긴 마찰이 있나요? ⑤ 해방촌이 지금까지 유지될 수 있었던 이유는 무엇인가요? ⑥ 언제부터 외국인이 이렇게 많이 들어왔나요? ⑦ 신흥시장에 사람도 없고 장사하시는 분들도 없던데 비활성화 되어가는 이유가 있나요?

⑧ 재개발 애기가 많았는데 재개발되지 않은 이유가 있나요?
⑨ 환경개선 사업을 하면서 예술마을이 되었는데 어떠신가요?
⑩ 예전과 비교해서 지금의 해방촌은 얼마나 달라졌나요?
⑪ 108계단은 일본인들에 의해서 만들어졌고, 신사참배를 하는 곳도
   있었다는 데 현재는 사라진 건가요?
⑫ 특별한 분들이 살고 계신지. 가장 오래된 집이 어딘지.
⑬ 언제부터 이곳에서 사셨나요? 어떻게 오시게 되었나요?
⑭ 가파른 언덕과 위험한 도로가 많은 데 괜찮으세요?
⑮ 옛날과 지금을 비교했을 때 해방촌의 모습이 얼마나 변했나요?
   옛날 모습 좀 많이 말씀해주세요
⑯ 해방촌을 돌아다니다 보니, 다양한 꽃그림과 벽화를 많이 볼 수 있는
   데 변화하는 해방촌이 마음에 드시나요?
⑰ 이사하지 않고 꾸준히 이 마을에서 사시는 이유가 있나요?
⑱ 2009년에 그린웨이라고 해서 용산공원과 남산을 잇는 녹지로 복원된
   다는 말이 있었는데 해방촌 주민 분들이 많이 반대했다고 들었습니다.
   그 이유가 무엇인가요?

	인터뷰 끝나고 점심 먹기
13:00~ 14:30	'한신옹기' 할머니 인터뷰 인터뷰 내용은 위와 비슷

'한신옹기' 할머님 인터뷰가 끝나면 바로 이국적인 카페와 레스토랑/ 외국인
인터뷰 촬영

· 'HACKNEY 해크니'
· 버거마인(버거뷔페)
· 자코 비버거(내장파괴버거)
· 투 핸즈 버거
· 경양식당
· 인디고(퓨전레스토랑)
· 젠틀 레이디 컵케이크
· 식당 주인분들 인터뷰
 ① 식당 하신지 얼마나 되셨나요?
    외국 손님이 많이 오시나요?
 ② 외국 손님들은 주로 어떤 음식을 많이 주문하세요?
 ③ 외국 손님들을 위해 개발하신 퓨전 요리가 있으신가요?
 ④ 외국인 손님의 입맛을 맞추기 위해 기존 한국 음식 레시피에서 변형하여 만
 드시는 게 있나요? (예를 들면 소스 바꾸기/ 같은 메뉴라도 한국인 손님과 외국인
 손님의 음식에 차별을 두나요? 매운 맛을 좀 약하게 한다던가..)
 ⑤ 이 식당만의 특별한 음식이 있나요?
 ⑥ 외국인 입맛에 맞춘 음식이 있나요?
 ⑦ 이 거리에서 축제 같은 것도 하나요?
 ⑧ 외국인이 많이 거주하지 않았던 때와 지금을 비교했을 때, 어떤가요?
    (외국인 사장님이 운영하는 식당은 꼭 찾아가서 인터뷰)
 - 이슬람 사원

- 음식을 나눠먹는 내, 외국인
- 다문화 가정 인터뷰/ 외국인 학교
- <외국인과 더불어 살아가는 거주민 인터뷰>
- <외국인 인터뷰 내용>

안녕하세요. 저희는 경인여대 영상과 학생들입니다.
저희는 학교 과제로 해방촌을 주제로 한 다큐멘터리 제작 중입니다.
영상에 들어갈 인터뷰를 부탁드립니다.
(오케이 하시면) start!!
① 먼저 이름과 국적을 말씀해 주세요.
② 한국에 언제 오셨나요?
③ 한국에 들어와 이곳에서 계속 사셨나요?
   (계속 살지 않은 분이라면 질문 하나 더!!
   - 전에 살던 동네와 이곳을 비교했을 때 다른 점이 있나요?)
④ 이곳에 어떻게 정착하게 되셨어요?
⑤ 해방촌에 대해서 어떻게 생각하세요?
⑥ 이곳에서 지내시면서 좋은 점은 뭔가요?
⑦ 언제까지 이곳에서 사실 예정이세요?
⑧ 혼자 사세요?
⑨ 한국에서는 어떤 일 또는 공부를 하고 계신가요?
⑩ 해방촌 주민 분들 중 친하게 지내는 이웃이 있나요?
⑪ 해방촌 주민 분들은 어떤가요?
⑫ 한국 분들과 의사소통에 지장이 많을 텐데 괜찮으세요?
⑬ 한국의 문화와 자국의 문화가 섞이고 있는 느낌을 받은 적이
   있나요?
⑭ 이 마을의 환성은 살기에 어떤가요?
⑮ 가파른 도로가 많은 데 다니시기 괜찮으세요?
⑯ 이 동네에 살면서 기억에 남는 추억이 있나요?
   있다면 말씀해주세요.
⑰ 해방촌(이 동네)의 매력은 무엇이라고 생각하나요?
   정말 감사합니다. 좋은 하루 보내세요^^

	외국인 거리 촬영 후, 아직 밝다면 거주민 인터뷰
	역사 박물관, 이슬람 사원, 프로펠러/비둘기 할아버지/ 외국인과 한국인이 어울려 노는 모습 / 다문화가정/ 외국인학교/ 빈가게/ 종점수다방/ 요코 공장/ 가장 오래된 가게
밤	- 해방촌 오거리(정상속도/셔터스피드 느리게) - 집으로 돌아가는 사람들 - 가로등 불빛 아래 집과 가파른 언덕 - 해방촌 야경 - 불이 하나 둘 꺼지는 장면/ 에필로그에 쓰일 밤 영상 가져오기
	모두들 수고했어요^^ 아!! 경로당에 선물 드리고 오는 거 잊지말기!!

<3차 촬영계획서>

AM 11:00	남영역에서 만나기 굴기-삼각대, 스케치북/ 덕이-카스타드ㅋㅋ,dslr/ 소나-카메라 지금 준비해서 가야할 곳이 빈가게/ 보성여고/ 경로당
~11:30	해방촌 도착(해방촌 오거리에서 내리기)해서 촬영 세팅!! ① auto/ auto로 되어 있는지 두 군데 확인 ② menu 버튼 누르고 16:9 "on"으로 ③ 인터뷰할 경우!! 마이크 연결하고 전원버튼 올리고(와이어리스도 전원 올리고) 오디오 채널 CH1.2 다 올려주고 Audio 버튼 눌러서 소리 다 들어오는지 확인. ④ setting이 끝났으면 5-10분 동안 테스트합니다. 화면은 괜찮은지 소리는 들어오는지 확인. ⑤ DSLR 쓸 경우, 프레임 수 조절하고 해야 됨. **※ 현장음 가져오기!! 아무 소리 안 나는거!!**
11:30~ 1:40	① 해방촌 오거리(정상속도/ 셔터스피드 느리게) ② 외국인 인터뷰 (인적이 드물 수도...) ③ 주민 센터 뒤편 공사장, 공사인부 인터뷰 요청 무엇을 만드는지. 이유가 뭔지. (짬) 벽화와 사람들이 어울리게 촬영하기 ex)벽화 거리 옆으로 지나가는 사람들 운동하는 사람 남산타워 밑 해방촌 용산2가동 주민센터 뒤쪽에 선 비석(동장 이봉천 기적비) 가내수공업 집 한번 더 가기
2:00~2 :30	'해방촌 빈가게' 인터뷰 ① 가게를 운영하신지 얼마나 됐나요? 왜 '빈가게'라고 이름을 지으셨죠? ② 어떠한 계기로 시작하셨나요? 해방촌에서 시작하신 이유가 있나요? (해방촌의 어떠한 점을 말하고 싶었는지, 매력) ③ 가게 테마의 의미는? (가게의 모습, 소품들) ④ 장사하시면서 느낀 점은? (해방촌 혹은 해방촌 사람들에게서) ⑤ 벽 쪽의 문구는 어떤 의미인가요. 여기가 해방촌이다. ____ 해방하자! ⑥ 특별한 강좌를 하고 계신다던데 어떤 건가요? 어떻게 시작하셨나요? 어떤 분들이 많이 오셔서 참여하시나요? ⑦ 변화한 해방촌에 대해 어떻게 생각하시나요? (녹지축 반대와 벽화사업)
	건굴쏘덕 꿀 점심 타임

- 경로당 선물 전달
- 해방교회 예배일 촬영 허락받기
- 거주민 인터뷰하기
  <이번엔 젊은 층을 많이 해오자>
  ① 해방촌에서 얼마나 사셨어요?
  ② 옛날 그대로 달동네 모습을 유지하면서 예술 사업으로 마을 분위기가 바뀌어 가는 것에 대해 어떻게 느끼시나요?
  ③ (아기 엄마라면) 아이들 키우시는 데 해방촌 거주 환경은 어떤 것 같으세요?

5:00~5:50	'보성여고' 인터뷰 ① 이곳에 거주하시고 계신가요? ② 벽화 그리기에 어떻게, 왜 참여하게 되셨나요? ③ 그린 벽화에 담겨 있는 의미가 있나요? ④ 벽화가 생기면서 해방촌이 예술마을로 많이 알려졌고 　취재나 촬영도 많이 오는데 기분이 어떠세요? ⑤ 앞으로 해방촌이 이렇게 좀 더 변했으면 하는 것이 있나요?

이국적인 카페와 레스토랑/ 외국인, 젊은 사람들 인터뷰 촬영
· 경양식당
· 'HACKNEY 해크니'
· 버거마인(버거뷔페)
· 자코 비버거(내장파괴버거)
· 투 핸즈 버거
· 인디고(퓨전레스토랑)
· 젠틀 레이디 컵케이크
· 식당 주인분들 인터뷰
  ① 식당 하신지 얼마나 되셨나요?
  　　외국 손님이 많이 오시나요?
  ② 외국 손님들은 주로 어떤 음식을 많이 주문하세요?
  ③ 외국 손님들을 위해 개발하신 퓨전 요리가 있으신가요?
  ④ 외국인 손님의 입맛을 맞추기 위해 기존 한국 음식 레시피에서 변형하여 만드시는 게 있나요? (예를 들면 소스 바꾸기/ 같은 메뉴라도 한국인 손님과 외국인 손님의 음식에 차별을 두나요? 매운 맛을 좀 약하게 한다던가..)
  ⑤ 이 식당만의 특별한 음식이 있나요?
  ⑥ 외국인 입맛에 맞춘 음식이 있나요?
  ⑦ 이 거리에서 축제 같은 것도 하나요?
  ⑧ 외국인이 많이 거주하지 않았던 때와 지금을 비교했을 때, 어떤가요?
  (외국인 사장님이 운영하는 식당은 꼭 찾아가서 인터뷰)

- 이슬람 사원
- 음식을 나눠먹는 내, 외국인
- 다문화 가정 인터뷰/ 외국인 학교
- <외국인과 더불어 살아가는 거주민 인터뷰>
- <외국인 인터뷰 내용>

안녕하세요. 저희는 경인여대 영상과 학생들입니다.
저희는 학교 과제로 해방촌을 주제로 한 다큐멘터리 제작 중입니다.
영상에 들어갈 인터뷰를 부탁드립니다.
(오케이 하시면)
start!!

① 먼저 이름과 국적을 말씀해 주세요.
② 한국에 언제 오셨나요?
③ 한국에 들어와 이곳에서 계속 사셨나요?
   (계속 살지 않은 분이라면 질문 하나 더!!
   - 전에 살던 동네와 이곳을 비교했을 때 다른 점이 있나요?)
④ 이곳에 어떻게 정착하게 되셨어요?
⑤ 해방촌에 대해서 어떻게 생각하세요?
⑥ 이곳에서 지내시면서 좋은 점은 뭔가요?
⑦ 언제까지 이곳에서 사실 예정이세요?
⑧ 혼자 사세요?
⑨ 한국에서는 어떤 일 또는 공부를 하고 계신가요?
⑩ 해방촌 주민 분들 중 친하게 지내는 이웃이 있나요?
⑪ 해방촌 주민 분들은 어떤가요?
⑫ 한국 분들과 의사소통에 지장이 많을 텐데 괜찮으세요?
⑬ 한국의 문화와 자국의 문화가 섞이고 있는 느낌을 받은 적이
   있나요?
⑭ 이 마을의 환경은 살기에 어떤가요?
⑮ 가파른 도로가 많은 데 다니시기 괜찮으세요?
⑯ 이 동네에 살면서 기억에 남는 추억이 있나요?
   있다면 말씀해주세요.
⑰ 해방촌(이 동네)의 매력은 무엇이라고 생각하나요?
   정말 감사합니다. 좋은 하루 보내세요^^

· 옹기할머니 찾아뵙기. 옹기 사러 온 외국인 있으면 인터뷰
  옹기할머니 옆집에 있는 부동산 찾아가서 외국인 언제부터 많이 들어오기 시작했고,
  많이 들어와 사는 이유가 무엇이라고 생각하는지 물어보기
  녹지축과 관련한 이야기
  - 해방촌에는 왜 높은 건물이 들어오지 않나요?
  - 벽화는 왜 그린 거죠?? 이것도 개발의 한 부분인가요?

| 8:40~ | 해방촌 오거리 촬영 후 남산으로 이동
해방촌 전경, 야경 촬영 |

<**4차 촬영계획서**>

AM 09:30	남영역에서 만나기 오늘의 가장 큰 목적은 <u>본문에 들어갈 영상을 촬영하는 것!!</u>
10:00 (2시간 반동안 외국인 모습 겁나 많이 찍어오면 성공)	한신아파트 정류장 도착하기. 카메라 세팅하기!! ① 해방촌 예술마을 타이틀 재촬영 ② 한신옹기 할머님께 인사드리고, 외국인이 또 옹기를 산다면 인터뷰 요청. ③ 한신옹기 옆집 <부동산 아저씨 인터뷰> 부탁드리기 　- 외국인이 언제부터 많이 들어와 살기 시작했나요? 　- 외국인이 이곳에 밀집해서 사는 이유가 무엇인가요? ④ 외국인 거리 촬영. 영상 촬영 싫어하면 사진이라도 찍자!!(몰카..) 　가게는 말씀드리면 외관은 촬영 가능할 것 같아. 　식당과 카페에서 함께 외국인과 한국인이 함께 어울리는 모습을 찍는 것이 문제. 　미용실에서 한국인 미용사와 외국인 손님을 만나고 싶당~ 　- 사진 한 장만 찍어도 될까요? (Can I Take a Picture?) ⑤ 외국인 인터뷰 1-2명만 더 합시다. ⑥ <거주민 인터뷰(학생, 젊은층 위주로)> 　- 옛날 그대로 달동네 모습을 유지하면서 예술 사업으로 마을 분위기가 바뀌어가는 것에 대해 어떻게 느끼시나요? 　- 외국인과 어울려서 사는 데 어떠세요? ⑦ <벽화 그려진 집 주인 인터뷰> 　- 집에 벽화가 그려져 있는 데 처음 이 사업 얘기를 어떻게 접하셨는지 　- 누가 와서 그려준 것인지 　- 벽화가 그려지고 달라졌다고 느끼는 점은? 　- 높은 빌딩과 고층 아파트 대신 마을의 환경을 바꿔 나가며 발전하는 것에 대해 어떻게 생각하시는지. ⑧ <외국인과 함께 거주하고 있는 주민 분 인터뷰> ⑨ 보이는 벽화는 전부 찍어오기 ⑩ 신흥시장 입구 재촬영(입구 두 개임. 두 개 다 촬영하기) ⑪ 올라가면서 보이는 목욕탕, 가내수공업 ⑫ 용암 경로당 외관 – 동선이 애매해~ 지금 "해"장면/ 남산아래동네 장면/ 108계단 신시참배 디/ 두딥바위/ 대우 전자상까지 찍어야 할게 많아요~(형광펜내용들)

하지만 오늘의 목표는 외국인과 내국인이 함께 어울려 살고 벽화 마을로 환경을 개선한다는 점을 많이 찍는게 목표니까 저거에 집착하지 않기!!

월율 촬영 내용에 다 넣을 거니까~^^

해방교회 앞에 가서 대기.

12:20 12:30 예배 끝남. 외국인과 내국인이 함께 계단 내려오는 모습을 찍고 싶다

해방성당으로 이동.

오늘 오후 4시까지 성당에서 행사함. 외국인과 내국인이 섞여서 어려운 사람을 도와주는

아름다운 모습을 촬영!!

12:40 〈행사에 참여한 외국 사람들 인터뷰 내용〉
- 어떤 행사인가요? (what is the event?)
- 이 행사에 대해 어떻게 생각하시나요?(what do you think about this event?)
- 어떤 물건을 가져오셨죠?
- 행사에 참여한 기분이 어때요?

밥먹자!! 밥 먹으면서 해야 할 게 또 있다냉~
우리 역사 사진 스캔 문제 오늘 정리할 거얌.
덕이 어머니가 안되겠다 하시면, 난 너희들이랑 오늘 사진 골라서
낼 아침에 스캔해 주는 업체에 맡길 거임!!
지금 무진장 할 게 많으므로 더 이상 지체할 수 없다!!ㅋ

정말 슬프지만,,, 난 알바를 갑니다ㅠ
나머지 촬영을 잘 부탁해요~

오늘 촬영하려고 했으나 못 찍었던 내용들 + 재촬영해야 하는 내용들을 다 찍어버린다

선택1 이것을 선택했을 경우, 우리는 월요일 아침 재개발 지역에 찾아가 공사 현장+서울의 높은 빌딩들을 촬영하고 해방촌으로 이동해서 보성어고 인터뷰를 한다.

선택2 재개발 지역(학교, 북아현동이라고 써있네용^^)에 가서 공사 현장+서울의 높은 빌딩들
이것을 선택했을 경우, 우리는 월율 아침부터 아직 찍지 못한 해방촌의 모습을 촬영하다가 보성어고 인터뷰를 한다.

※ 무엇을 선택하든 촬영촬영촬영촬영입니당~ 순서만 다를 뿐...
<재촬영 부분 정리해 줄게>
- "해" 장면
- 남산 아래 동네라는 것 보여주는 장면
- 108계단 전경과 신사참배를 했던 터
- 해방촌 예술마을 타이틀(알록이 달록이 한거)
- 신흥시장 입구
- 용암경로당 외관, 두텁바위 안 전쟁서터 표석
- 성당, 교회
- 가내수공업, 목욕탕, 대우
- 외국인/ 벽화/ 이슬람사원

Designed by 'Playground AI'

3. 제작(Production)

제작은 기획에서 준비한 구성안이나 시나리오, 스토리보드 등을 기초로 해서 실내 또는 실외에서 카메라를 이용해 촬영하는 단계이다.

1) 영상의 구성단위

(1) 프레임(Frame) :
영상을 이루는 최소 단위이고 촬영된 영상의 이미지 한 장을 의미한다. 방송에서는 초당 30f(60i)이 송출되고 영화에서는 초당 24f이 상영된다.

(2) 샷(Shot) :
촬영할 때 카메라가 작동이 되면서 **컷(cut)**하여 끊어지기까지를 샷이라고 한다.

TIP.<Shot / Cut>

> 종종 Shot과 Cut을 혼돈할 때가 있는데 일반적으로 Shot은 촬영할 때 사용되는 용어이고 Cut은 편집할 때 사용되는 용어이다.
> 영화제작에서는 Shot과 Cut을 혼용해서 사용하기도 한다.

(3) 씬(Scene) :
샷들이 모여 씬을 이룬다. 씬은 동일 시간과 동일 장소에서 일어나는 사건을 의미한다. 대개 장편영화에는 100-150개 정도의 씬들이 있다.

(4) 시퀀스(Sequence) :
여러 개의 씬들이 모여 시퀀스(에피소드)가 된다. 시퀀스는 하나의 에피소느를 이루고 있고 영상을 구성하는 짧은 줄거리의 단위이다. 하나의 시퀀스는 대개 3-6분 정도 소요되며 장편영화에는 30-40개 정도의 시퀀스가 있다.

(5) 스토리(story) :
여러 개의 시퀀스들이 모여 하나의 이야기가 완성된다.

예를 들어 남녀 간의 사랑을 이야기하는 어떤 영화 속의 남녀 주인공이 어느 날 놀이공원에서 회전목마와 롤러코스터를 타고 점심을 먹었다고 가정해 보자. 놀이공원에서의 데이트라는 시퀀스(에피소드) 속에 회전목마 씬과 롤러코스터 씬, 점심 먹는 씬이 존재할 것이다. 그리고 각각의 씬 속에는 여러 가지 샷들이 존재할 것이다.
예를 들어 점심 먹는 씬 속에는 식당의 전경을 보여주는 **그룹 샷**, 연인의 **투 샷**, 각각의 **원 샷**, 음식의 클로즈 업 샷 등이 존재할 것이다. 또한 각각의 샷은 OK 샷이 나올 때까지 여러 번의 촬영을 하고 편집 시 가장 좋은 샷을 선택, 배열, 수정하여 영상을 완성한다. 이때 **슬레이트**를 잘 활용하면 편집 시간을 많이 줄일 수 있다.

TIP.**<원 샷 / 투 샷 / 쓰리 샷 / 그룹 샷>**

<원 샷(1S)>　　　　　　<투 샷(2S)>

<쓰리 샷(3S)>　　　　　<그룹 샷(GS)>

TIP.<슬레이트(Slate)>

슬레이트는 모든 촬영이 끝난 후 편집할 때 유용하게 활용된다.
슬레이트를 '딱'하고 치는 이유는
첫 번째, 촬영된 영상의 슬레이트에 적힌 내용과 스크립터가 작성해 놓은 스크립트를 보고 OK샷을 추려내어 편집한다면 많은 시간을 줄일 수 있기 때문이다.
두 번째, 두 대 이상의 카메라로 촬영할 경우에 교차 편집의 기준점 역할을 한다.(예:런닝맨, 1박2일)
세 번째, 영상과 소리를 따로 녹음하는 영화제작의 경우에 촬영된 영상에서 슬레이트를 치는 모습과 사운드 녹음기에 녹음된 '딱'소리를 기준으로 싱크를 맞추기 위함이다.
슬레이트가 없을 경우에는 박수를 치거나 종이에 간단히 씬, 컷(샷), 테이크 번호 등을 적어 편집할 때 활용할 수도 있다.

슬레이트 작성 방법이 정해진 것은 아니지만 보편적으로 다음과 같은 방법으로 작성한다.

SCENE : 시나리오의 씬 번호
CUT : 촬영하는 컷(샷)의 번호
TAKE : 촬영하는 컷(샷)의 촬영 횟수
DATE : 촬영 날짜
PROD. CO. : 영화나 드라마 제작사의 이름
ROLL : 필름이나 메모리카드의 번호
DIRECTOR : 감독(연출자)의 이름
CAMERAMAN : 촬영감독의 이름
PROD. : 제작자의 이름

슬레이트를 치는 방법은 촬영 상황마다 조금씩 다르다. 보편적으로 감독이 '카메라 롤(녹음)'하고 외치면 연출부의 한 사람이 슬레이트를 카메라 앞에 들이대고 씬, 컷(샷), **테이크** 번호를 외치고 슬레이트를 치고 나온 후에 감독의 '액션'소리를 듣고 배우들이 연기를 한다.

TIP.<테이크(Take)>

테이크는 촬영 시 사용되는 용어로서 같은 컷(샷)을 여러 번 찍을 경우에 촬영 횟수를 의미한다.

예를 들어 앞에서 언급한 놀이공원 에피소드의 점심 먹는 씬에서 두 남녀의 투 샷 장면을 찍는다고 했을 경우 같은 앵글로 총 5번 촬영을 했다면 **스크립터**는 스크립트에 촬영 횟수를 5라고 기록하며 OK장면과 NG장면을 메모해 둔다.

예를 들어 1번 2번 테이크가 NG(No Good)이고 3번 테이크가 보류(Keep), 4번이 NG이고 5번이 OK라면 다음과 같이 표시할 수 있다.

시퀀스 (에피소드)	씬넘버 25번	샷(컷)넘버 2번	테이크 (촬영횟수)	비고
	점심 먹는 씬	연인의 투샷		
	#25	2	1	NG(X)
	#25	2	2	NG(X)
놀이공원	#25	2	3	KEEP(△)
	#25	2	4	NG(X)
	#25	2	5	OK(O)

TIP.<스크립터(Scripter)>

스크립터는 방송 현장에서는 방송구성작가를 의미하고 영화 현장에서는 촬영 상황을 상세히 기록하여 인물의 배치나 소품의 위치를 알려주는 역할을 한다.

영화 촬영 후에는 스크립터가 기록한 **스크립트**를 기초로 편집을 한다. 스크립트 작성 방법은 정해진 것이 아니라 제작 상황마다 조금씩 다르다.

TIP.<스크립트(Script)>

스크립트는 상황에 따라서 조금씩 다른 의미로 사용된다.
1. 대본 형식의 콘티
2. 라디오나 방송 촬영 시 사용되는 방송대본이나 방송원고
3. 영화 시나리오
4. 연극의 대본
5. 다큐멘터리의 구성안
6. 영화 촬영 시 스크립터가 기록한 기록물

TIP.<롱 테이크(Long Take)>

롱 테이크는 하나의 샷을 1분 이상 촬영하여 편집 없이 보여주는 것을 의미한다.

<추천영상 : 레버넌트, 버드맨, 그래비티, 라라랜드>

2) 쇼트 사이즈 운용 기술

카메라에 보여지는 피사체의 크기와 촬영 방법에 따라 **익스트림 롱 샷, 롱 샷, 풀 샷, 니 샷, 웨스트 샷, 미디엄 샷, 바스트 샷, 클로즈 업 샷, 빅 클로즈 업 샷, 익스트림 클로즈 업 샷, 오버 더 숄더 샷, 리액션 샷(크로스 샷), 팔로우 샷, 트래킹 샷, 핸드 헬드 샷, 시점 샷** 등이 있다.

(1) 익스트림 롱 샷(Extreme Long Shot, ELS 또는 XLS) :

익스트림 롱 샷은 아주 멀리서 매우 넓은 지역을 촬영한 샷을 의미한다. 관객들에게 배경이나 사건에 대한 정보를 인상 깊게 제공하는 기능을 한다.

(2) 롱 샷(Long shot, LS) :

롱 샷은 씬 안에 있는 사람, 사물, 장소들을 시청자들이 전체적으로 알 수 있도록 피사체가 카메라로부터 상당한 거리를 두고 촬영한 샷을 의미한다.

(3) 풀 샷(Full Shot, FS) :

풀 샷은 배경과 인물 전체가 보이도록 촬영한 샷을 의미한다. 인물의 머리 위 공간이 발밑의 공간보다 보통 1.5-2배정도 더 많이 두고 촬영을 해야 한다.

(4) 니 샷(Knee Shot, KS) :
니 샷은 인물의 무릎부터 머리 위쪽까지 촬영한 샷을 의미한다.

(5) 웨이스트 샷(Waist Shot, WS) :
웨이스트 샷은 인물의 허리부터 머리 위쪽까지 촬영한 샷을 의미한다. 바스
트 샷 다음으로 많이 사용되는 샷으로 인물이 2-3명일 때 오버더숄더 샷
등으로 많이 사용된다.

(6) 미디엄 샷(Medium shot, MS) :

웨이스트 샷과 비슷한 이 샷은 가장 빈번하게 사용되는 샷으로서 롱 샷보다
는 가깝고 클로즈보다는 먼 샷을 의미한다. 보통 인물의 허벅지 중간부터
머리 위쪽까지 배경과 함께 촬영한다.(니 샷 / 웨이스트 샷을 아울러 말하기
도 한다.)

(7) 바스트 샷(Bust Shot, BS) :

바스트 샷은 인물의 가슴부터 머리 위쪽까지 촬영한 샷을 의미한다. 인물을
찍는 데 가장 기본적인 샷이고 가장 많이 쓰는 샷이기도 하다.
머리 위의 여백을 둘 수도 안 둘 수도 있으나 인물의 움직임이 많은 경우에
는 여백을 두는 것이 좋다.
여백이 없을 경우에는 배경보다는 인물의 연기에 좀 더 시선이 집중된다.

(8) 클로즈 업 샷(Close Up Shot, CU) :

클로즈 업 샷은 인물을 찍었을 경우 몸을 제외한 인물의 얼굴만 촬영한 샷
을 의미한다. 보통 인물의 턱부터 프레임 위쪽으로 이마가 가려져 있는 샷
이 일반적이다. 인물의 감정표현을 강조하거나 대상을 강조하기 위해 사용
한다.

(9) 빅 클로즈 업 샷(Big Close Up Shot, BCU / Tight Close Up, TCU) :
빅 클로즈 업 샷은 클로즈 업 샷보다 더 가까이에서 촬영한 샷으로서 보통
인물이나 사물의 특정 부위를 부각시켜 사람들의 시선을 집중시키는 효과가
있다. 주로 긴장감 있는 장면이나 사건의 단서를 보여줄 때 사용하는 경우
가 많다.

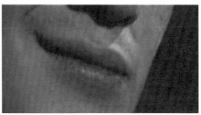

(10) 익스트림 클로즈 업 샷(Extreme Close Up Shot, ECU 또는 XCU) :
익스트림 클로즈 업 샷은 빅 클로즈 업 샷보다 좀 더 가까이에서 촬영한 샷
으로서 신체의 일부분(눈. 코. 입등)을 극단적으로 확대해서 보여주는 샷을
의미한다.(빅 클로즈 업 샷과 같은 의미로 사용되기도 한다.)

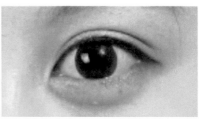

(11) 팔로우 샷(Follow Shot) :
팔로우 샷은 촬영 대상을 따라가며 촬영하는 샷을 의미한다.

(12) 오버 더 숄더 샷(Over the Shoulder Shot, OSS) :
오버 더 숄더 샷은 두 사람이 마주 보고 있을 때 상대방 어깨너머로 다른
사람의 모습을 촬영한 샷을 의미한다.

(13) 리액션 샷(크로스 샷) :
리액션 샷은 두 명 혹은 그 이상의 무리를 촬영할 경우 어떤 말이나 행동을
하는 사람만을 촬영하는 것이 아니라 다른 사람들의 표정을 촬영해서 보여
주는 샷을 의미한다. 크로스 샷은 보통 두 명이 대화할 경우 상대방을 오가
며 보여주는 샷을 의미한다.

(14) 트래킹 샷(Tracking Shot) :
트래킹 샷은 이동차나 달리 등을 이용하여 레일 위에서 움직이는 피사체를
따라가며 촬영한 샷을 의미한다.

<이동차>   <달리>   <휴대용 달리>

(15) 핸드 헬드 샷(Hand Held Shot) :

핸드 헬드 샷은 카메라를 삼각대 위에 올려놓지 않고 촬영자의 어깨에 올려서 찍거나 손으로 들고 촬영하는 샷을 의미한다.

영상 속에 긴장감을 불러일으키거나 현장감을 보여주기 위해 사용되기도 한다. 하지만 걷거나 뛰거나 하며 촬영할 때는 흔들림이 심하고 불안정하다. 이를 보완하기 위해 <u>스테디캠</u>을 이용하기도 한다.

TIP.<스테디캠(Steadicam)>

스테디캠은 카메라를 들고 촬영 시, 흔들리지 않게 도와주는 장비를 의미한다. 큰 카메라는 조끼처럼 입고 허리에 카메라를 달고 촬영을 하며, 작은 카메라는 카메라에 장착하여 손으로 들고 사용한다.

<어깨걸이형>   <핸드헬드형>

(16) 시점 샷(Point Of View Shot) :
시점 샷은 등장인물이 바라보는 시점처럼 보이도록 촬영한 샷을 의미한다.
인물이 카메라를 정면으로 응시하는 샷이 나온 후에 인물의 시점에서 바라
보는 샷이 나온다.

TIP.<설정 샷>

설정 샷은 에피소드나 씬의 처음 장면에서 전체적인 배경을 보여주는 샷
으로써 상황을 설명하거나 등장인물들 간의 관계를 보여주는 샷을 의미한
다. 보통 익스트림 롱 샷, 롱 샷, 풀 샷 등이 설정 샷으로 사용된다.

3) 카메라 구도의 종류 및 특징

\<수평구도\>	\<수직구도\>	\<수직수평구도\>
\<곡선형구도\>	\<대각선구도\>	\<원형구도\>
\<사선구도\>	\<대칭구도\>	\<역삼각형구도\>

수평구도와 삼각형구도는 안정적인 화면을 나타낼 때 많이 사용되고 수직구도와 사선구도, 역삼각형구도는 역동적인 화면을 나타낼 때 많이 사용된다. 또한 원형구도와 곡선형구도는 부드러운 느낌의 화면을 나타낼 때 많이 사용되고 대각선구도는 원근감을 나타낼 때 많이 사용된다.

\<황금비\>
황금비는 가로와 세로의 비가 1.618:1(약16:10)일 때 가장 균형 있고 아름답게 느껴진다는 비율이다.
이 비는 **피보나치수열**을 따르며 일상생활에서 쉽게 찾아 볼 수 있다. 예를 들어 사람의 얼굴 비율이나 TV, 책 등이 있다.

TIP.<피보나치수열>

피보나치수열은 앞에 나오는 두 항의 합이 다음에 오는 항의 값과 같은 수열을 의미한다.
1,1,2,3,5,8,13,21.......a,b,c.... (a+ b=c)
앞의 항으로 뒤의 항을 나누면 c÷b≒1.618이란 숫자로 수렴한다.

<황금분할>

황금분할은 가로와 세로를 삼등분하여 생기는 선위에 표현하고자 하는 대상을 올려놓고 촬영하는 것을 의미한다. 특히 가로선과 세로선의 교차점에 촬영 대상을 올려놓고 촬영할 경우 주목도가 올라간다.

4) 공간 배치에 따른 카메라 운용 기술

피사체가 바라보는 방향과 쇼트 사이즈에 따라 적당한 공간과 방향성을 유지해야 한다.

(1) 헤드 룸(Head Room) :

헤드 룸은 피사체의 머리와 프레임 위쪽 사이의 남는 공간을 의미한다.

헤드 룸이 없으면 답답해 보이고 너무 넓으면 화면이 불안해 보이기 때문에 쇼트 사이즈에 따라서 적당한 헤드 룸을 주는 것이 좋다.

(2) 룩킹 룸(Looking Room / Nose Room) :

룩킹 룸은 피사체가 바라보는 방향에 여백을 두는 것을 의미한다.

인물이 바라보는 방향의 여백은 화면에서 방향감이 생기도록 하는 역할을 한다. 룩킹 룸이 없다면 화면이 답답해 보이기 때문에 적당한 룩킹 룸을 주는 것이 좋다.

(3) 리드 룸(Lead Room) :

리드 룸은 하나의 정지된 이미지로 보았을 때 룩킹 룸과 다른 것이 없지만 동영상으로 보았을 때 사물이 움직이는 방향의 앞쪽에 적당한 여백을 두는 것을 의미한다.

(4) 이미지너리 라인(Imaginary Line) :
이미지너리 라인은 카메라 렌즈를 중심으로 피사체 간에 생긴 가상의 선을 의미한다. 180도 법칙이라고도 하며 화면 속에서 피사체들 간의 위치 관계를 보여준다.
이 가상의 선을 넘어서 촬영했을 경우에 보는 이에게 혼란을 줄 수 있으므로 주의해야 한다.(**점프컷**)

여자(왼쪽) 남자(오른쪽)　　　〈올바른 이미지너리 라인〉　　　〈잘못된 이미지너리 라인〉

TIP<점프컷(Jump Cut)>

점프컷은 앞/뒤 장면이 자연스럽게 연결되지 않고 튀는 느낌을 주는 것을 의미한다.

예를 들어 피사체가 이미지너리 라인의 위치 관계를 지키지 않거나 장면 전환 시 이미지 사이즈가 비슷하거나 촬영 각도가 비슷한 장면을 연결하면 점프컷이 될 수 있다.

<점프컷 예1 : 촬영 각도가 비슷한 샷의 연결>

TIP.<30/30법칙>

30/30법칙은 점프컷을 예방하기 위해서 동일한 인물을 촬영할 경우에 뒷장면은 앞장면에 비해 샷 사이즈가 최소 30%정도는 작아지거나 커져야 하고 촬영 각도가 30도 이상 좌로나 우로 이동하여 촬영해야 한다는 것을 의미한다.

자주 사용하지는 않지만, 촬영 각도가 동일하고 샷 사이즈만 크게 바뀔 경우에는 컷 연결이 가능하다.

<촬영 각도는 동일하고 샷 사이즈만 다른 경우>

5) 카메라 움직임에 따른 카메라 운용 기술

카메라의 운용하는 방법에 따라 팬(Pan), 붐(Boom), 틸트(Tilt), 줌(Zoom), 달리(Dolly), 트럭(Truck), 크레인(Crane), 지미집(Jimmy Jib) 등이 있다.

(1) 팬(Pan) :

팬은 카메라를 <u>삼각대(트라이포드)</u>에 고정시켜 놓은 상태에서 수평하게 좌에서 우(Pan Right)로 또는 우에서 좌(Pan Left)로 움직이며 촬영하는 것을 의미한다.

이때 처음에는 고정 샷으로 3-5초 정도 촬영한 후 서서히 빨라지게 촬영하며 중간 부분은 일정한 속력으로 촬영하고 서서히 느리게 촬영한 후 멈춰서 3-5초 정도 촬영하도록 한다. 자동차가 서서히 출발해서 등속도로 이동한 후 서서히 멈춰 서는 것과 같은 원리라고 생각하면 된다.

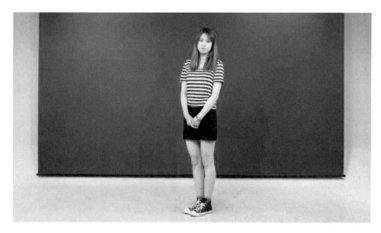

좌   우

TIP.<트라이포드(Tripod) / 모노포드(Monopod)>

<트라이포드>　　　　<모노포드>

(2) 틸트(Tilt) :

틸트는 카메라를 삼각대(트라이포드)에 고정시켜 놓은 상태에서 수직으로 위에서 아래(Tilt Down)로 또는 아래에서 위(Tilt Up)로 움직이며 촬영하는 것을 의미한다.

팬과 마찬가지로 처음에는 고정 샷으로 3-5초 정도 촬영한 후 서서히 빨라지게 촬영하며 중간 부분은 일정한 속력으로 촬영하고 서서히 느리게 촬영한 후 멈춰서 3-5초 정도 촬영하도록 한다.

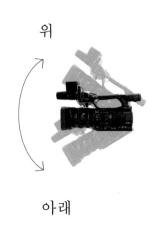

위

아래

(3) 붐(Boom) :

붐은 카메라의 높이를 상/하로 이동하며 촬영하는 것을 의미한다. 보통 스튜디오 카메라를 운용하기 위한 **페데스탈**이나 **지미집** 촬영에서 많이 사용한다.

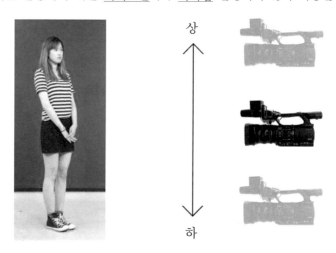

TIP.<페데스탈(Pedestal) / 지미집(Jimmy Jib)>

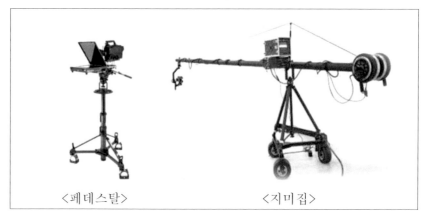

<페데스탈>　　　　　<지미집>

(4) 줌(Zoom) :

줌은 카메라를 고정시켜놓은 상태에서 렌즈의 초점거리에 변화를 줌으로써 사물을 가까이(Zoom In) 또는 멀게(Zoom Out) 촬영하는 것을 의미한다.

(5) 달리(Dolly) :

달리는 카메라를 고정시켜놓고 촬영하는 줌과는 다르게 카메라가 레일(트랙) 위의 이동차를 타고 이동하면서 촬영하는 것을 의미한다.

촬영하는 방향으로 카메라를 이동시켜 사물에 다가가거나(Dolly In) 멀어지면서(Dolly Out) 촬영한다.

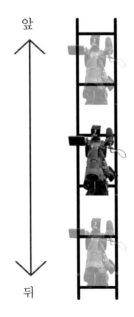

앞

뒤

(6) 트럭(Truck) :

트럭은 촬영하는 방향과 수직으로 레일 위를 이동하며 촬영하는 것을 의미한다. 앞/뒤로 이동하며 촬영하는 달리와 다르게 좌/우로 이동하면서 촬영한다.(레일이 아닌 트럭(자동차)을 이용해 피사체를 따라가면서 촬영하는 것을 의미하기도 한다.)

좌에서 우로 이동하면서 촬영하는 것을 Truck Right라 하고 우에서 좌로 이동하면서 촬영하는 것을 Truck Left라고 한다.

팔로우 샷이나 트래킹 샷이라고도 부른다.

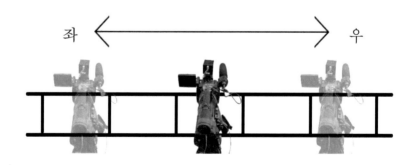

(7) 크레인(Crane) :

크레인 위에 카메라를 매달아 놓고 리모컨으로 조작해서 촬영하거나 사람이
크레인 위에 올라가서 촬영하는 것을 의미한다.

주로 야외무대 행사에서 군중의 모습을 보여주거나 하이앵글로 무대 위를
보어 주는 샷으로 사용된다.

<크레인>

(8) 지미집(Jimmy Jib) :

지미집은 크레인처럼 매우 높은 곳은 아니지만 지상에서 3-7m 정도 높이까
지 하이앵글로 촬영이 가능하며 역동적이고 다양한 앵글을 보여줄 수 있다.

<지미집>

6) 카메라 앵글의 종류 및 특징

촬영하는 카메라의 위치와 각도에 따라 하이 앵글, 아이 앵글, 로우 앵글, 버드아이 뷰 앵글, 경사 앵글 등이 있다

(1) 하이 앵글 샷(High Angle Shot / 부감샷) :

하이 앵글은 사물을 위에서 아래로 내려다보며 촬영하는 샷으로서 사물을 원래 크기보다 작고 왜소하게 보이게 한다.
사람이 위축돼 보이거나 겁에 질린 모습 또는 전체적인 모습을 보여줄 때 주로 사용된다.

(2) 아이 레벨 샷(Eye Level Shot) :

아이 레벨은 사물과 카메라를 같은 높이에 맞추어 촬영하는 샷으로서 사물의 왜곡이 발생하지 않는 평범한 샷이다.
주로 뉴스 촬영이나 <u>인터뷰</u> 또는 대화 장면에서 사용된다.

TIP<인터뷰 촬영할 때 주의사항>

1. 아이 레벨로 촬영하며 제작자는 인터뷰 대상자와 눈높이를 같게 한다.
2. 전문적인 지식을 필요로 하는 인터뷰는 미리 질문지를 보내준다.
3. 생각이나 가치관을 물어보는 인터뷰는 미리 질문할 내용을 보여주지 않아도 된다.
4. 인터뷰 대상자를 최대한 편하게 해주며 긴장감이 풀어질 때까지 기본적인 것들을 물어본 후 중요한 질문은 나중에 한다.
5. 인터뷰 대상자가 카메라를 똑바로 쳐다보지 않도록 하며 질문자와 편안히 대화 하듯이 한다.(카메라는 질문자의 옆에 최대한 붙어서 촬영한다.)
6. 인터뷰 대상자가 이야기를 할 수 있도록 분위기를 유도한다.
7. 질문자가 말을 너무 많이 해서는 안 되며 인터뷰 대상자가 이야기 할 때 적극적으로 경청한다.
8. 인터뷰 내용과 어울리는 장소(배경)에서 촬영한다.

(3) 로우 앵글 샷(Low Angle Shot / 앙각샷) :
로우 앵글은 사물을 아래에서 위로 올려다보며 촬영하는 샷으로서 사물을 원래 크기보다 크고 강하게 보이게 한다. 주로 사람들을 위협하는 장면이나 공포스러워 보이게 하는 장면 또는 존경심을 표현할 때 많이 사용된다.

(4) 버드아이 뷰 앵글 샷(Bird's Eye View Angle Shot) :
버드아이 뷰 앵글은 높은 전경에서 사물을 내려다보며 촬영하는 샷으로서 전경이나 사건의 배경 등을 보여준다. 마라톤 경기와 같은 장면을 헬기 위에서 촬영한 장면이 이에 해당된다. ELS과 비슷한 의미이다.

(5) 경사 앵글 샷(Dutch Angle Shot / Canted Angle Shot) :
경사 앵글은 사물을 비스듬하게 촬영하는 샷으로서 심리적 긴장감과 불안감
을 느끼게 해준다. 주로 액션 장면이나 불안한 정서를 보여주는 장면에서
사용된다.

7) 렌즈의 종류 및 특징

렌즈는 초점 거리와 화각에 따라 **광각 렌즈, 표준 렌즈, 망원 렌즈, 어안 렌즈, 줌 렌즈** 등으로 나뉜다.

(1) 광각 렌즈(Wide Angle Lens) :

광각 렌즈는 표준 렌즈보다 초점거리가 짧고 화각이 넓은 렌즈이다.

일반적으로 초점거리가 24-35mm 렌즈를 의미하고 심도가 깊다.(Deep Focus/Pan Focus) 화각이 넓으므로 사물이 실제보다 더 멀리 있는 것처럼 보이고 더 많은 것을 프레임 안에 보여지는 것이 가능하다.

상대적으로 앞에 있는 피사체에 비해 뒤에 있는 피사체는 더 작게 보이게 하는 특성을 가지고 있다.(**원근감**을 과장한다.)

(2) 표준 렌즈(Standard Lens) :

표준 렌즈는 사람의 시각과 가장 비슷하게 사물을 찍을 수 있는 렌즈이다.

일반적으로 초점거리가 40-60mm 렌즈를 의미한다.

이 렌즈를 이용하여 촬영하면 가장 자연스러운 화면을 만들 수 있다. 왜곡되거나 일그러짐 없이 자연스러운 느낌을 표현할 때 사용하며 보통 뉴스 화면이나 인터뷰 장면에 많이 사용된다.

(3) 망원 렌즈(Telephoto Lens) :

망원 렌즈는 표준 렌즈보다 초점거리가 길고 화각이 좁은 렌즈이다.

일반적으로 초점거리가 70-200mm 렌즈를 의미하고 심도가 얕다.(Out of Focus) 화각이 좁으므로 사물이 실제보다 더 가깝게 보이고 사물들 간의 거리를 가깝게 보여지도록 하여 원근감이 잘 나타나지 않는다.

근접촬영이 힘들 때 멀리서 촬영할 수 있는 장점이 있으나 작은 화각 때문에 흔들림에 민감하고 초점 맞추기가 힘들다는 단점이 있다.

(4) 어안 렌즈(Fish Eye Lens) :

어안 렌즈는 물고기의 눈동자처럼 생긴 렌즈이다.

일반적으로 광각 렌즈보다 초점거리(6-20mm)가 짧은 렌즈를 의미한다.

어안 렌즈는 화각이 180°를 넘는 초광각 렌즈이고, 광각 렌즈와 달리 촬영 대상을 왜곡시키는 성질을 가지고 있다. 화면 가운데를 중심으로 주변에 나타난 상의 모양을 둥글게 보이게끔 한다. 화각이 넓어 사용하기도 편하지만 지나치게 상이 왜곡되므로 피사체에 따라 너무 과장되거나 부자연스러운 장면이 될 수도 있다.

보통 색다른 이미지를 표현하거나 환상적인 공간 또는 혼란스러운 정신 상태를 보여줄 때 사용된다.

(5) 줌 렌즈(Zoom Lens) :

줌 렌즈는 가변 초점 렌즈로써 렌즈 내에서 자유롭게 초점 거리의 변화가 가능한 렌즈이다. 광각 줌 렌즈, 표준 줌 렌즈, 망원 줌 렌즈 등이 있다. 하나의 렌즈 안에서 여러 화각과 초점 거리의 변화가 가능해 다른 렌즈로 바꿔 끼우지 않아도 여러 장면을 촬영할 수 있다는 장점이 있다. 하지만 다른 렌즈들보다 상대적으로 크고 화질이 떨어지는 단점이 있다.

<광각줌렌즈>   <표준줌렌즈>   < 망원줌렌즈>

TIP.<심도를 얕게 촬영하는 방법>

심도가 얕다는 말은 아웃 포커스(Out of Focus) 현상이 심하다는 것을 의미한다. 또는 초점(Focus)이 잘 맞지 않는다는 것을 의미한다.
어떤 상황에서는 의도적으로 심도를 얕게 촬영해야 하는 경우가 발생한다.

1. 광각보다는 표준, 표준보다는 망원 렌즈가 심도가 얕다.
   (광각<표준<망원)
2. 피사체와 가까이 촬영(근접 촬영)할수록 심도가 얕다.
3. 피사체와 뒷배경이 멀수록 심도가 얕다.
4. 조리개를 열수록 심도가 얕다.
   (상대적으로 셔터스피드를 빠르게 해야 한다.)

<조리개와 심도의 상관관계>

<조리개를 조금 열었을 경우>　　　<조리개를 많이 열었을 경우>

TIP.<원근감을 표현하는 방법>

원근감이란 사물(피사체)을 보았을 때 가깝거나 멀게 느끼는 것을 의미한다.

1. 대각선 구도를 사용한다.
2. 가까운 피사체는 크게 하고 뒤의 피사체는 작게 보이게 한다.
   (광각렌즈>표준렌즈>망원렌즈)
3. 뒷배경을 흐릿하게 보이게 한다.
4. 피사체와 뒷배경 사이에 또 다른 물건을 삽입한다.(A/B=>A/C/B)
5. 3D촬영으로 입체감을 부여한다.
6. 가까이에 있는 피사체의 소리는 크게 하고 뒤에 있는 피사체의 소리는 작게 한다.

8) 셔터스피드와 조리개 그리고 감도

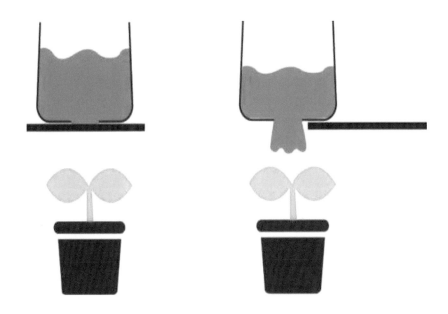

적당량의 물을 줘야 식물이 건강하게 잘 자란다. 물이 많거나 부족해서는 안 된다.

위 그림에서 물은 **광량**을 의미하고 물통의 구멍은 카메라의 **조리개**를 의미하고 검정색 받침대는 **셔터스피드**를 의미한다.(받침대를 빼면 물이 밑으로 쏟아진다.)

<상황 1>
1. 물의 양이 많으면 많은 물이 쏟아진다.(한낮 / 빛이 많다.)
=>조리개 구멍을 조이거나 셔터스피드를 빠르게 한다.
2. 물의 양이 적으면 적은 물이 쏟아진다.(저녁 / 빛이 적다.)
=>조리개 구멍을 최대한 열고 셔터스피드를 느리게 한다.
=>그래도 어두우면 감도(ISO/GAIN)를 올려준다.

<상황 2>

1. 구멍이 크면 많은 물이 쏟아진다.

=>조리개 구멍이 크다.

=>빛이 많다.

2. 구멍이 작으면 적은 물이 쏟아진다.

=>조리개 구멍이 작다.

=>빛이 적다.

<상황 3>

1. 받침대를 느리게 뺐다 꽂으면 많은 물이 쏟아진다.

=>셔터스피드가 느리다.

=>빛이 많다.

2. 받침대를 빠르게 뺐다 꽂으면 적은 물이 쏟아진다.

=>셔터스피드가 빠르다.

=>빛이 적다.

TIP.<조리개(Iris)>

조리개는 카메라 렌즈를 통해 들어오는 빛의 양을 조절하는 역할을 한다. 조리개 구멍이 크면 빛이 많이 들어오고 작으면 빛이 적게 들어온다. 조리개 구멍을 작게 할수록 심도가 깊어진다.

F1.4   F2   F2.8   F4   F5.6   F8   F11   F16   F22

빛이 많다 <--------   --------> 빛이 적다
(조리개 구멍이 크다)   (조리개 구멍이 작다)

TIP.<셔터스피드(Shutter Speed)>

셔터스피드는 셔터가 열리고 닫히는 시간을 조절하여 빛의 양을 조절하는 역할을 한다. 셔터스피드가 빠르면 빛이 적게 들어오고 셔터스피드가 느리면 빛이 많이 들어온다.

...2 1 1/2 1/4 1/8 1/15 **1/30** **1/48** **1/60** 1/125 1/250 1/500...

빛이 많다 <--------   --------> 빛이 적다
(셔터스피드가 느리다)   (셔터스피드가 빠르다)

*1/30초 이하로 촬영할 경우에는 피사체가 흔들릴 수 있으므로 주의해야 한다.(의도적으로 셔터스피드를 느리게 촬영할 수도 있다.)
*1/48초는 영화 촬영 시 기준 셔터스피드로 사용한다.
*1/60초는 방송영상 촬영 시 기준 셔터스피드로 사용한다.

<셔터스피드와 피사체의 상관관계 >

<셔터스피드를 빠르게 했을 경우>   <셔터스피드를 느리게 했을 경우>

9) 카메라의 종류 및 특징

카메라는 사용 장소나 저장 방식에 따라 스튜디오 카메라, ENG 카메라, 캠코더, DSLR 카메라, 필름 카메라, 휴대폰 카메라 등이 있다.

<스튜디오 카메라>   <ENG 카메라>   <캠코더>

<DSLR 카메라>   <필름 카메라>   <휴대폰 카메라>

(1) 스튜디오 카메라(Studio Camera)

방송 카메라의 한 형태로서 스튜디오 카메라는 방송국의 스튜디오 안에서 사용하는 카메라이다.

페데스탈을 이용하여 팬, 틸트, 붐 등을 할 수 있으며 녹화 기능이 없어 부조정실에서 리코더로 녹화를 한다.

(2) ENG 카메라(Electronic News Gathering Camera)

방송 카메라의 한 형태로서 ENG 카메라는 야외 촬영 시 휴대가 가능하며 녹화 기능이 있다. 페데스탈을 사용하는 대신에 트라이포드를 사용하며 어깨에 올려서 촬영이 가능하다.

주로 방송사의 뉴스 프로그램에서 사용한다.

(3) 캠코더(Camcorder)

캠코더는 카메라(camera)와 리코더(recorder)의 합성어로서 카메라에 녹화 기능과 재생기능이 있는 카메라를 의미한다.

ENG카메라의 한 형태로서 주로 소형 카메라를 지칭한다. 가정용과 전문가 용이 있으며 휴대가 용이하고 촬영이 편리해서 누구나 쉽게 사용할 수 있 다. 과거에는 8mm 테잎과 6mm 테잎을 주로 사용하였지만 최근에는 메모 리카드에 영상을 저장하는 방식으로 바뀌었다.

(4) DSLR 카메라(Digital Single Lens Reflex Camera)

DSLR 카메라는 렌즈 교환이 가능한 카메라를 의미하며 촬영한 영상을 필름 이나, 테잎이 아닌 메모리카드에 저장한다.

상황에 따라서 적합한 렌즈(광각, 표준, 망원 등)를 사용할 수 있으므로 다 양한 영상을 촬영할 수 있다.

최근에는 카메라 본체에 반사경(미러)을 사용하지 않는 미러리스 카메라 (Mirrorless Camera)를 많이 사용하고 있다.

(5) 필름 카메라(Film Camera)

촬영된 영상을 테잎이나 메모리카드가 아닌 필름에 저장하는 방식의 카메라 를 의미한다.

정지영상을 촬영하는 스틸 카메라와 동영상을 촬영하는 영화제작 카메라로 구분된다. 영화 촬영 시에는 1초당 24장의 정지영상을 필름에 저장하며 이 정지영상을 빠르게 보여주면 정지영상이 아닌 연속동작으로 인식한다.

(6) 휴대폰 카메라(Cell Phone Camera)

촬영된 영상을 작은 메모리카드에 저장하며 사용이 간단하고 휴대성이 매우 뛰어나다.

예전 휴대폰 카메라는 화소수가 높지 않았지만 최근에 나온 휴대폰 카메라 는 4K 촬영도 가능하다.

TIP.<텔레시네(Telecine) / 키네코(Kineco)>

필름카메라로 촬영된 초당 24프레임의 영화 영상을 초당 30프레임인 비디오로 영상으로 바꾸는 과정을 **텔레시네**라고 한다.
반대로 비디오로 촬영된 영상을 영화 영상으로 바꾸는 과정을 **키네코**라고 한다.

TIP.<해상도>

보통 화소수(Pixel)가 많고 이미지 센서(Image Sensor)가 크면 해상도가 높다고 이야기한다.
화소수(Pixel)는 'Picture Element'을 줄인 말로써 사진을 확대해서 볼 때 보이는 점의 개수를 의미하고 가로와 세로의 곱의 결과로 나타낸다. 예를 들어 가로 점의 개수가 1920개이고 세로 점의 개수가 1080개 일 경우 약 200만 화소라고 이야기한다.
이미지 센서는 빛을 전기신호로 바꿔주는 장치이며 대표적으로 CCD방식과 CMOS방식이 있다. 일종의 필름 역할을 하며 이미지 센서가 클수록 해상도가 높고 가격이 비싸다.
해상도가 높으면 전송속도가 떨어지므로 편집 시간이 많이 소요된다. 따라서 무조건 고화질 모드로 촬영할 것이 아니라 촬영 목적에 적합한 해상도를 선택해야 한다.
필름은 저장 방식이 다르므로 디지털의 화소수와 단순비교가 불가능하지만 대략 2000만 화소와 비슷하다고 한다.

구분	해상도	화소수	화면비율	비고
HD (High-Definition)	1280x720	약90만화소	16:9	장시간 촬영 시 유용한 촬영 포맷이다.
	1440x1080	약150만화소	4:3	
Full-HD	1920x1080	약200만화소	16:9	보편적으로 가장 많이 사용하는 촬영 포맷이다.
Ultra-HD	3,840x2,160	약800만화소	16:9	UHD 또는 4K라고 부른다.
	4,096x2,160	약800만화소	17:9	

10) 사운드 운용기술

영상제작 과정에서 가장 간과하기 쉬우면서 가장 중요한 부분 중 하나가 바로 사운드 녹음이다. 영상이라는 매체는 눈으로 보는 영상만큼 귀로 듣는 소리가 매우 중요하다. 사운드가 불안정하거나 영상과 어울리지 않는 사운드는 영상에 대한 몰입도를 떨어뜨린다.

(1) 동시녹음 / 후시녹음

동시녹음이란 현장에서 녹음한 소리를 영상에서 그대로 사용하는 것을 의미하고 **후시녹음**이란 스튜디오나 다른 장소에서 따로 소리를 녹음하여 영상에 입히는 것을 의미한다.

현장음을 되도록 사용하는 게 좋지만, 녹음된 소리가 작거나 잡음이 많을 경우에는 비슷한 환경이나 잡음이 없는 곳(스튜디오)에서 따로 후시녹음을 해야 한다.

또한 현장음은 촬영 현장에서만 들리는 고유의 소리인 만큼 촬영 시 여유 있게 배경음을 녹음해 두는 것이 편집 시 용이하다.

동시녹음 시 주변이 소란스러울 경우에는 주변의 소음이 멈출 때까지 기다리거나 소음을 따로 녹음해 놓고 편집 시 배경음으로 까는 방법도 있다.

TIP.<폴리(Foley)>

> 동시녹음으로 녹음한 소리는 아니지만 실제 소리와 흡사하게 소리를 만들어 입히는 것을 의미한다.
> 예를 들어 등장인물이 걸어가는 장면이 나온다면 등장인물의 움직임에 적합한 발자국 소리를 따로 녹음하여 화면에 소리를 입힐 수 있다.
> 주로 후시녹음이나 라디오 제작 시에 많이 사용한다.

(2) 지향성 마이크 / 붐 마이크(Boom Mike)

지향성 마이크는 마이크가 향하는 특정 방향의 소리에는 감도를 높게 녹음하고 주변의 잡음은 감도를 낮게 녹음하도록 하는 마이크를 의미한다.

붐 마이크는 낚싯대와 같이 생긴 긴 막대기 위에 지향성 마이크를 달고 수음하는 마이크를 의미한다. 보통 드라마나 영화제작 시에 많이 사용하며 카메라와 피사체 간의 거리가 멀 경우에 주로 사용한다.

<지향성 마이크>   <붐 마이크>

TIP.<윈드 스크린(Wind Screen)>

윈드 스크린은 바람이나 주변의 소음을 차단하여 감도를 높게 녹음하도록
돕는 역할을 한다.

<마이크 윈드스크린>   <붐마이크 윈드스크린>   <핀마이크 윈드스크린>

(3) DSLR(미러리스) 카메라 마이크

DSLR(미러리스) 카메라는 사진 촬영에 적합한 형태로 만들어졌기 때문에
동영상 촬영 시 녹음기능이 많이 부족하다. 따라서 DSLR(미러리스) 카메라
로 동영상 촬영을 할 경우에는, 카메라 마이크를 따로 사용해야 완성도 있
는 영상을 만들 수 있다.(와이어리스 마이크를 사용할 수도 있다.)

<DSLR 카메라 마이크>   <와이어리스 마이크>

(4) 와이어리스 마이크(핀 마이크)

주변이 소란스럽거나 인터뷰 촬영을 할 경우에는 와이어리스 마이크를 사용하는게 매우 유용하다.

와이어리스 마이크(Wireless Mike)는 수신기와 발신기가 있으며 수신기는 카메라에 장착(1-1)하고 발신기는 촬영 대상자의 몸에 장착(2-1)한 후 마이크는 옷깃이나 상의의 윗부분에 핀으로 고정(2-2)하여 사용한다.

또는 제작자가 발신기를 손으로 들고(3-1) 사용할 수도 있다.

<와이어리스 마이크>   1-1.<수신기 카메라에 장착>   2-1.<발신기 허리에 장착>

2-2.<핀마이크 옷깃에 고정>   3-1.<발신기 들고 질문>

11) 빛의 위치에 따른 사물의 특징

(1) **순광** : 그림자가 거의 없으므로 피사체를 정확히 나타낼 수는 있으나 평면적으로 보이고 입체감이 떨어진다.
(2) **사광** : 그림자가 피사체에 자연스럽게 나타나므로 입체감을 느낄 수 있다. 미적 효과가 뛰어나며 사광과 반역광을 렘브란트 라이트(Rembrandt Light)라고도 부른다.
(3) **측광** : 그림자가 강조되어서 피사체의 입체감을 강조할 수는 있으나 화면이 다소 어두워 보인다.
(4) **반역광** : 측광과 역광 사이에 위치하며 입체적이고 미적 효과가 있다.
(5) **역광** : 피사체의 뒤에서 비추는 조명으로써 피사체의 윤곽(실루엣)을 나타내며 뒷배경의 공간을 드러나게끔 함으로써 입체감을 부여한다.

12) 색온도

색온도는 우리가 흔히 사용하고 있는 섭씨온도에 273을 더한 온도로써 온도에 따라 색의 변화를 나타낸다. 단위는 k를 사용하며 절대온도 또는 캘빈온도라고 부른다.

<푸른색>

1000K (맑은 날 푸른 하늘)

7500K (흐린 날)
6500K (형광등)
6000K (스트로보)
5500K (한낮의 태양광)

3300K (텅스텐/할로겐 조명)
3000K (백열등)
2500K (일몰/일출)

1500K (촛불)

<붉은색>

색온도가 높은색(파랑, 초록, 남색 등)은 긴장감을 유발시키거나 불안감, 초조감을 조성하기 때문에 무서운 장면이나 긴장감을 조성하는 장면에 주로 사용하며 색온도가 낮은색(빨강, 주황, 노랑 등)은 긴장감을 해소하거나 여유로운 분위기를 조성하기 때문에 로맨틱 장면이나 감성적인 장면에 주로 사용한다.(항상 일치하는 것은 아니다.)

TIP.<색온도가 높은 장면>

TIP.<색온도가 낮은 장면>

TIP.<따뜻한 느낌의 영상을 촬영하는 방법>

1. 그린보드를 이용해 화이트 발란스를 맞춘다.(노란색 느낌이 든다.)
2. 노란색 계통의 조명(텅스텐, 할로겐 등)을 사용한다.
3. 노란색 느낌을 나타내는 필터를 사용한다.
4. 캘빈 온도 기준값을 올려준다.
5. 편집할 때 색감을 바꿔준다.
6. 일출이나 일몰에 촬영한다.

TIP.<화이트 발란스(White Balance)>

화이트 발란스는 광원에 따라 색온도가 다르므로 색온도를 일정하게 맞추어 본래의 흰색을 보여주는 것을 의미한다.
일반적으로 화이트보드나 그레이보드를 사용하여 촬영 상황이 바뀔 때마다 색온도를 조정한 후 촬영한다.
보통 백열등 밑에서 촬영하면 하얀색이 붉게 보이고 형광등 밑에서는 푸른색을 띈다.

13) 빛 운용기술

빛은 태양광을 사용하는 자연광과 조명을 사용하는 인공광으로 구분될 수 있으며 가장 자연스러운 장면을 위해 빛을 사용해야 한다.
빛은 이야기가 전개되는 장소가 실내인지 실외인지를 알려주고 빛의 길이를 통해 사건이 전개되는 시간대를 알 수 있게 해준다.

(1) 3점 조명 기법

3점 조명 기법은 세 개의 조명을 삼각형 형태로 피사체에 비추는 조명 방법으로써 **주광(Key Light), 보조광(Fill Light), 역광(Back Light)**을 통해서 피사체에 비추는 빛의 양과 방향을 조절할 수 있다.

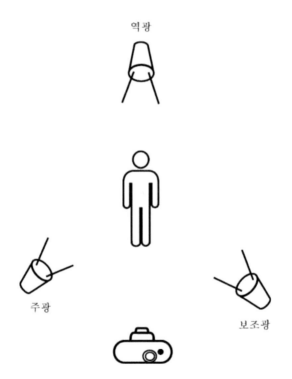

1. 주광(키 라이트 / Key Light)

주광은 촬영 대상을 직접 비추는 조명으로써 주된 역할을 하며 기준이 되는 조명이다. 카메라를 중심으로 수평 약 30~45도, 수직 30~40도에 좌/우 어느 한 방향에 설치한다.

2. 보조광(필 라이트 / Fill Light)

보조광은 주광의 반대편에 설치하여 주광에 의해 생기는 어두운 부분을 부드럽게 하거나 명암의 대조를 줄여주는 조명이다. 주광보다 밝기를 약하게 해야 하며 밝기 조절이 안 되는 조명의 경우에는 주광보다 좀 더 뒤 쪽에 위치해서 사용한다.

3. 역광(백 라이트 / Back Light)

역광은 촬영대상의 뒤에서 비추는 조명으로써 촬영대상이 배경과 분리되어 있는 느낌을 주거나 입체적 느낌을 주는 조명이다.

<주광>   <주광/보조광>   <주광/보조광/역광>

(2) 조명의 종류

<백열등>   <텅스텐>   <할로겐>

<HMI>   <플럭스>   <LED>

1. 백열등(Incandescent Lamp)

백열등은 1879년에 토머스 에디슨이 발명한 조명으로서 색온도가 낮아 붉은색을 나타낸다. 수명이 짧고 전기 소모가 많아서 LED로 대체되고 있다.

2. 텅스텐(Tungsten)

텅스텐 조명은 백열등의 한 종류로서 백열등과 비슷한 색온도(3200K)를 나타내며 광도를 자유롭게 조절할 수 있고 주로 실내촬영이나 밤 촬영에서 사용된다.

3. 할로겐(Halogen)

할로겐 조명은 백열전구에 비해 더 높은 온도에서도 필라멘트가 견딜 수 있고, 이로 인해 더 밝고 환한 빛을 내면서도 수명이 2-3배 더 길다.

4. HMI(Halogen Metal Iodide)

HMI 조명은 색온도가 한낮의 태양광과 같은 5,500K의 색온도를 나타내며 같은 전력의 텅스텐, 할로겐 램프에 비해 3~4배 이상의 고효율성을 지녀 주로 야외촬영에 사용된다.

5. 플럭스(Flux)

플럭스 조명은 형광램프를 4-6개 정도 장착하여 사용하는 조명을 의미한다. 주로 스튜디오나 DSLR 촬영 시 사용된다.

6. LED(Light Emitting Diode)

LED 조명은 백열등과 형광등에 비해 에너지 효율이 매우 높고 수명이 길다. 또한 다양한 색감(빨강, 파랑, 초록 등)을 나타낼 수도 있다.

(3) 하이 키 조명(High Key Light) / 로우 키 조명(Low Key Light)

하이 키 조명은 전체적으로 밝고 부드럽게 표현하는 조명으로써 명암비가 낮은 조명이다. 밝고 경쾌한 장면에 주로 사용된다.

로우 키 조명은 다소 어둡고 입체감을 표현하는 조명으로써 명암비가 큰 조명이다. 공포스러운 장면이나 암울한 장면에 주로 사용된다.

<하이 키 조명>	<로우 키 조명>

(4) 야외촬영

야외촬영은 스튜디오 촬영과는 달리 자연광을 많이 사용하므로 날씨와 시간에 따라 많은 변수가 있다.

태양의 위치에 따라 적절히 반사판을 사용하여 원하는 분위기를 연출한다.

하얀색 반사판은 부드러운 장면을 연출할 때 사용되며 실버 반사판은 하얀색 반사판보다 많은 빛을 반사시킨다.

14) 촬영 전 준비 사항

(1) 배터리는 충전이 되어 있는가?

(2) 메모리카드(저장장치) 용량은 충분한가?

(3) 날씨는 어떠한가?

(4) 촬영 전 카메라 테스트를 한 후에 영상과 사운드 녹음에 이상이 없는가?

15) 촬영 시 고려 사항

(1) 상황(광원)이 바뀔 때마다 화이트 발란스를 맞춰준다.

(2) <u>인서트 장면</u>을 충분히 촬영한다.(편집 시 많이 필요함)

(3) 배경음을 따로 여유 있게 녹음한다.(편집 시 필요함)

(4) 촬영 시 각 샷마다 앞/뒤를 여유 있게 촬영한다.(편집 시 용이함)

(5) 특별한 경우를 제외하고는 삼각대를 사용한다.

(6) 다양한 앵글로 여유 있게 촬영한다. 예를 들어 두 명의 대화 장면을 촬영한다면 투샷, 원샷, 오버더숄더샷 등을 촬영한다.

(7) 촬영 전에 영상 장르에 적합한 세팅인지 필히 확인한다.(프레임 수, 화면 비율, 셔터스피드, 조리개, 오디오 등)

TIP.<인서트 장면(Insert Shot)>

인서트 장면은 내용의 연속성을 유지하며 시간을 축약하거나 주변의 상황을 보여줄 때 사용하는 샷으로써 장면과 장면 사이에 직접적으로 연관이 있거나 간접적으로 연관이 있는 장면을 삽입하는 것을 의미한다.

Designed by 'Firefly'

4. 후반작업(Post-Production)

후반작업은 촬영된 영상을 **편집**, **색보정**, **추가촬영** 등을 통해 영상을 완성시키는 단계이다.

1) 편집

편집은 촬영된 영상을 가지고 주제를 가장 잘 드러낼 수 있는 장면을 선택, 배열, 수정하는 과정을 의미한다.

대략적인 **가편집**이 끝나면 **종합편집**을 한다.

TIP.<가편집>

> 가편집은 편집의 첫 번째 단계로써 기획의도에 맞게 촬영된 테이프의 내용을 대략적으로 선택, 배열하는 것을 의미한다.

TIP.<종합편집>

> 종합편집은 가편집한 영상을 다듬고 음향과 자막, 내레이션, CG 등을 입혀서 영상을 완성하는 것을 의미한다.

편집된 영상은 편집자에 따라서 다른 느낌의 영상이 만들어질 수 있으며 편집자는 연출자와 많은 대화를 통해서 기획의도대로 영상을 완성한다.

편집의 순서는 촬영의 순서와는 무관하지만, 편집 후에 만들어지는 영상물의 내용은 연속성이 있어야 한다. 다른 시간과 다른 장소에서 촬영했을지라도 편집된 영상물은 동일한 시간대와 동일한 장소인 것처럼 보여주어야 한다.

(1) 편집의 목적

촬영된 모든 영상을 시청자들에게 보여줄 수는 없으므로 편집을 통해서 시간을 축약하고 내용을 압축하여 꼭 필요한 정보만을 시청자들에게 보여주는 것을 목적으로 한다.

(2) 편집 시 주의사항

1. 등장인물들 간의 이미지너리 라인이 유지되어야 한다. 위치가 바뀌면 보는 사람들에게 혼돈을 줄 수 있다.(위치의 연속성)

2. 등장인물이 어느 한 곳을 바라보거나 움직임이 있는 장면에서는 시선 방향이나 이동 방향이 일치해야 한다.(방향의 연속성)

3. 동일한 공간을 보여주는 장면은 들리는 소리도 일치해야 한다. 주변의 소리가 다를 경우에는 영상의 몰입을 방해하므로 후시녹음이나 현장음 또는 음악을 사용하여 동일한 공간의 느낌을 주는 게 필요하다.(소리의 연속성)

4. 장시간 촬영을 하다 보면 광원의 색온도가 바뀌는 경우가 종종 있다. 동일한 공간을 보여주는 장면은 샷이 바뀌어도 색감이 일정해야 하므로 같은 색으로 보여주어야 한다.(색의 연속성)

5. 샷이 바뀌어도 등장인물의 행동이 일치해야 한다. 예를 들어 오른손으로 커피잔을 들고 있다면 다음 샷에서도 커피잔을 오른손으로 들고 있어야 한다.(내용의 연속성)

(3) 장면전환 기법

장면전환 기법에는 **컷, 디졸브, 와이프, 페이드** 등이 있다.

1. 컷(Cut) :

컷은 하나의 장면에서 다른 장면으로 곧바로 전환하는 것을 의미한다.
특별한 경우가 아니라면 대부분의 장면은 컷으로 연결하는 것이 좋다.
장면과 장면을 영상문법에 맞지 않게 연결하면 점프컷이 될 수 있다. 점프컷을 예방하기 위해서는 촬영할 때부터 편집을 고려해서 다양한 앵글로 촬영하는 것이 필요하다.

<컷 연결 시 주의사항>

① 카메라가 움직이고 있는 샷(팬, 틸트, 줌, 달리, 핸드헬드 등)과 고정 샷을 연결하면 점프컷이 될 수 있으므로 움직임이 있는 샷 다음에는 움직임이 있는 샷을 연결하고 고정 샷 다음에는 고정 샷을 연결해야 한다. 움직임이 느린 샷과 고정 샷을 연결하는 것은 가능하다.

② 컷 편집 시 쇼트사이즈가 비슷한 샷은 연결을 피하는 것이 좋다.
예를 들어 MS(미디엄 샷)다음에 MS를 이어 붙이는 것보다는 MS 다음에는 BS(바스트 샷)이나 FS(풀 샷)등이 오도록 한다.

두 사람의 대화 장면에서는 비슷한 사이즈끼리 크로스 샷(리액션 샷)으로 사용 가능하다. 또한 적절한 **인서트 장면**을 사용하면 점프컷을 피할 수 있다.

TIP.<인서트 장면(Insert Shot)>

> 인서트 장면은 내용의 연속성을 유지하며 시간을 축약하거나 주변의 상황을 보여줄 때 사용하는 샷으로써 장면과 장면 사이에 직접적으로 연관이 있거나 간접적으로 연관이 있는 장면을 삽입하는 것을 의미한다.
> 보통 **컷 인 샷**이나 **컷 어웨이 샷**을 사용한다.

TIP.<컷 인 샷(Cut In Shot) / 컷 어웨이 샷(Cut Away Shot)>

> **컷 인 샷**은 앞에서 보여준 장면의 일부분을 확대해서 보여주는 것을 의미한다. 시간을 압축해서 보여주거나 어떠한 상황을 강조할 목적으로 사용한다.
> 예를 들어 요리하는 사람을 보여주고 손을 클로즈 업 해서 보여주면 손이 컷 인 샷이 된다.
> **컷 어웨이 샷은** 장면과 장면 간의 직접적인 관계는 없으나 자연스럽게 이야기를 이어갈 수 있는 장면을 중간에 삽입하는 것을 의미한다. 시간을 압축해서 보여주거나 주변의 상황이나 반응을 알려주는 목적으로 사용한다.
> 예를 들어 싸움을 하는 두 사람을 보여주다가 주변 사람들의 모습을 보여준다면 주변 사람들이 컷 어웨이 샷이 된다.

<인서트 장면 예1 : 노예12년>

③ 움직임이 있는 샷(팬, 틸트, 줌, 달리 등) 다음에 오는 샷은 카메라의 움직이는 방향이 다른 것이 좋다. 예를 들어 pen left 샷 다음에 pen left 샷을 연결하지 않도록 한다.

④ 극단적으로 대조되는 샷의 연결은 피하는 것이 좋다. 예를 들어 롱 샷 다음에 클로즈업 샷이 오는 것보다는 풀 샷이나 미디엄 샷이 오도록 한다.
⑤ 촬영 각도가 비슷한 장면을 연결하면 점프컷이 될 수 있으므로 촬영 각도가 좌로나 우로 30도 이상 다른 샷을 연결하는 것이 좋다.

2. 디졸브(Dissolve) :

디졸브는 앞의 장면이 서서히 사라짐과 동시에 뒤의 장면이 겹쳐지면서 서서히 나타나는 장면 전환 효과를 의미한다. 오버랩(Overlap)과 비슷한 의미로 사용된다.
디졸브는 되도록 사용하지 않는 것이 좋으나 다음과 같은 경우에는 디졸브를 사용한다.

<디졸브를 사용하는 경우>
① 점프컷 발생 시
② 시간의 경과
③ 장소의 이동
④ 사건의 연결
⑤ 감정의 몰입(예 : 음악방송)

<디졸브 예1 : 노예 12년>

      <A>   <A/B>   <B>

3. 와이프(Wipe) :

와이프는 하나의 영상이 다른 영상을 밀어 넣으면서 나타나는 장면 전환 효과를 의미한다. 스위처를 이용하거나 편집 프로그램을 이용하여 와이프 효과를 줄 수 있다.
예를 들어 두 사람이 전화통화하는 장면에서 하나의 화면이 다른 화면을 밀어내면서 두 개의 화면으로 나뉘어 보이는 경우를 들 수 있다.

<와이프 예1 : 24시>

<A>   <B>   <A/B>

TIP.<스위처(Switcher)>

스위처는 보통 부조정실에서 사용하며 화면의 합성과 특수 효과 등을 만들 수 있는 비디오 스위처(Video Switcher)를 의미한다.
스위처를 이용하여 컷, 디졸브, 와이프 등의 장면전환을 자유롭게 할 수 있다.

<부조정실>   <스위처>

TIP.<PIP(Picture In Picture)>

PIP는 장면 안에 또 다른 장면을 집어넣는 장면전환 기법을 의미한다. 보통 인터뷰 장면에서 인터뷰 내용과 연관이 있는 장면을 보여줄 때 사용된다.
스위처나 편집 프로그램(파이널컷/아비드/프리미어 등)을 이용하여 PIP를 제작할 수 있다.

4. 페이드(Fade) :

블랙의 화면에서 점점 밝아지며 화면이 나타날 때를 (Black)Fade In 이라고 하며 영상의 시작이나 하나의 큰 사건이 마무리되고 다음 이야기로 넘어갈 경우에 사용된다. 영상이 보이는 장면에서 점점 어두워지며 블랙 화면으로 바뀔 때를 (Black)Fade Out 이라고 하며 영상의 마지막이나 하나의 큰 사건이 마무리 되어질 때 사용된다. 또한 영상이 점점 밝아지면서 하얀 화면으로 바뀔 때는 (White)Fade Out 이라고 한다.

<(Black)Fade In 예1 : 엘리시움>

<(Black)Fade Out 예1 : 벤자민 버튼의 시간은 거꾸로 간다.>

TIP.<Flash Back>

플래시백은 순간적으로 과거의 장면을 회상할 경우에 주로 사용하는 장면 전환 기법으로서 보통 화면이 번쩍 거리며 과거의 장면으로 전환된다. 장면 전환 후 화면의 색을 다르게 하거나 뿌옇게 처리한다.

<Flash Back 예1 : 엘리시움>

2) 색보정

촬영된 영상은 동일한 카메라로 촬영을 한다고 해도 카메라의 각도나 빛의 방향, 장소에 따라서 조금은 다른 색감으로 보여 질 수 있다. 이러한 영상을 동일한 색감으로 색을 조정하는 것을 색보정이라고 한다.

색보정을 하기에 앞서 촬영 전에 화이트 발란스(WB)를 잘 맞추어서 촬영하는 게 무엇보다도 중요하며 영화작업과는 달리 다큐멘터리 촬영과 같은 경우에는 매 장면마다 화이트 발란스를 맞추며 촬영하는 게 쉽지 않으므로 자동으로 화이트 발란스(AWB)를 설정해 놓고 촬영하도록 한다.

<색보정 전>　　　　　　　　　　　　　　<색보정 후>

3) 추가 촬영

촬영한 영상을 편집하다 보면 편집으로는 도저히 수정, 보완이 안 되는 경우가 발생할 때가 있다.

이런 경우에는 추가 촬영을 통해 부족한 부분을 채워야만 한다.

이러한 추가 촬영은 제작 기간을 길어지게 할 뿐 아니라 제작비용이 추가되므로 기획 단계에서 보다 철저히 준비해야 한다.

Designed by 'Copilot'

5. 단편영상 사례

1) 다큐멘터리(Documentary)

다큐멘터리는 사전적으로 허구를 전혀 사용하지 않거나 거의 사용하지 않고 어떤 사건이나 인물에 관한 사실을 보여주는 사실적 영상이라고 정의된다. 다큐멘터리의 종류에는 휴먼, 시사, 정보(과학), 자연, 환경, 오락, 역사 다큐멘터리 등이 있다.

<다큐멘터리 예1 : 꼬리 달린 이웃>

<다큐멘터리 예2 : O2O>

<다큐멘터리 예3 : 당신은 페미니스트입니까>

<다큐멘터리 예4 : 호콘호돔>

<다큐멘터리 예5 : 한잔>

<다큐멘터리 예6 : 카멜레존>

<다큐멘터리 예7 : My eco life>

<다큐멘터리 예8 : 희망이 불어오는 곳, 소록도>

<다큐멘터리 예9 : 나는 바리스타다.>

<다큐멘터리 예1 : 꼬리달린 이웃>

시간 17분 48초

소재
고양이

기획의도
길거리에서 쉽게 볼 수 있는 우리의 꼬리달린 이웃, 고양이.
우리는 어떠한 이유에서 고양이를 좋아하고 보호하고 싶어 하는 것일까?

줄거리
여기 사람들의 눈을 피해 무언가를 하는 사람들이 있다. 이들은 무엇을 하는 것일까? 코엑스에서 열린 캣산업박람회에 온 사람들에게 고양이를 좋아하는지, 어떠한 이유로 좋아하는지, 캣맘에 대해 아는지 질문을 한다. 그리고 요즘 갈등거리가 생겨나고 있는 인터넷 속 캣맘의 이미지를 보여준다.
많은 갈등 속에서도 묵묵히 길고양이들을 챙겨주는 캣맘, 신문배달원 김하연씨의 일상과 인터뷰 / 그 외에도 길고양이들을 챙겨주는 이웃 주민들의 모습과 인터뷰를 보여준다. 길고양이와 사람이 공존하면서 살아가는 이유와 길고양이가 우리에게 어떤 도움을 주는지, 앞으로 길고양이가 어떤 삶을 살았으면 좋겠는지 시민 인터뷰를 통해 보여준다.

영상소구점
TNR 사업에 대해 소개하는 장면.

<다큐멘터리 예2 : O2O>

시간 10분 46초

소재

O2O 서비스, 배달원

기획의도

스마트폰이 발달하면서 우리는 택시를 기다리지 않아도 터치 하나로 불러 탈 수 있게 됐고 음식도 전화가 아닌 터치 한 번으로 시킬 수 있게 됐다. 이런 서비스를 Online to Offline(O2O)이라고 한다. O2O 서비스 안에서 우리의 편리함을 위해 일하고 있는 사람들. 오늘은 그들의 이야기를 얘기해보고자 한다.

줄거리

1. 다양한 연령층과의 인터뷰 (평소 스마트폰 사용도, O2O 서비스를 아는지, O2O 서비스의 편리함)
2. O2O 서비스 시장규모의 변화와 그에 따른 노동자 증가율 그래프를 보여주고 그 중에서도 사람들이 가장 많이 이용하는 서비스는 배달이라는 것을 알려준다.
3. 인천 계양구에 위치한 배달 대행 업체와의 인터뷰 (어떤 배달서비스를 제공하는지, 일에 대한 어려움, 사고 발생 후 보험처리에 관한 내용)
4. 배달기사에 대한 사회적 인식과 문제점을 보여주며 어떤 점을 고쳐 나가야 되는지를 보여준다.

영상소구점

배달기사들의 안타까운 사고 소식을 담은 뉴스들이 나오는 장면.

<다큐멘터리 예3 : 당신은 페미니스트입니까>

시간 8분 14초

소재

페미니즘

기획의도

사회적 이슈가 되고 있는 페미니즘에 대해 소개하고자 한다.

줄거리

1. 웹툰에서 나온 장면으로 갈등이 생기는 상황을 보여주며 사람들이 페미니즘에 대한 인식을 보여 준다.
2. 평소 페미니즘에 대한 인식이 어떤지 설문조사 한 결과를 남성과 여성의 비율로 보여 준다.
3. 시민들에게 페미니즘의 의미를 물어본다. (인터뷰)
4. 과거의 페미니즘과 현재의 페미니즘의 차이를 보여주며 왜 페미니즘이 부정적인 인식을 갖게 됐는지 보여 준다.
5. 페미니즘의 본래적 의미를 보여주고 한 성별의 우월성을 강조하는 것이 아닌 모두가 동등한 권리는 갖고 행복한 삶을 나아가는 것이 페미니즘이라는 것을 알려 준다.

영상소구점

웹툰에서 나온 장면으로 사람들의 의견이 갈리는 장면.

\<다큐멘터리 예4 : 호콘호돔\>

시간 11분 15초

소재
성교육, 콘돔

기획의도
아직까지 청소년의 성관계에 대해 부정적인 인식을 가지고 있는 사회. 그럼에도 청소년의 성관계 경험이 있는 학생들은 4%가 넘는다. 이럴 때 필요한 것은 사람들의 부정적 시선보다 피임의 중요성과 방법에 대해 구체적으로 알려주는 것이 중요하다.

줄거리
학생들이 상자를 흔들며 안에 있는 내용물을 맞춰본다. 상자 속 내용물을 보고 어색한 웃음을 짓는 학생들. 그 안에 있던 것은 다름 아닌 콘돔이다.
질병관리본부의 조사 결과에 따르면 청소년 전체의 성관계 경험률은 4.6%(2016년 기준), 그중에서 임신을 경험한 청소년은 21.4%(2014년 기준), 임신중절수술 경험이 있는 청소년은 무려 81.0%로 충격적인 결과를 보여줬다. 하지만 학교에서는 아직까지 실질적으로 도움이 되지 않는 내용들의 교육을 많이 가르쳐주곤 한다. 이런 문제점을 바로 잡고자 색다른 방식으로 학생들에게 성교육을 해주는 이석원 성교육 강사의 인터뷰와 해외에서 진행하는 성교육 방식을 알려주며 우리나라 성교육에 대한 심각성을 알려주고 앞으로 청소년 성관계에 대한 인식이 어떤 식으로 바뀌면 좋을지 인터뷰를 한다.

영상소구점
교복을 입고 편의점에 콘돔을 파냐 물어보는 장면.

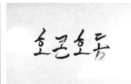

<다큐멘터리 예5 : 한잔>

시간 10분 13초

소재

다양한 술 문화

기획의도

일찍이 술의 민족으로 불릴 정도로 우리 삶과 술은 밀접한 관계를 맺고 있다.
그렇다면 현재에는 얼마나 많은 술들이 생겨나고 어떤 방식으로 즐기고 있는지를 담
고자 하였다.

줄거리

1. 우리가 흔히 아는 술의 종류가 아닌 경험해 보지 못한 과인 소주, 아메리카노와
   막걸리를 섞은 막걸리노 등 다양한 주류들을 소개한다.
2. 와인, 맥주, 전통주를 직접 만들어 볼 수 있는 자가 양조 공장에 대해 소개한다.
3. 색다르게 술을 즐길 수 있는 술 마시며 요가 하는 비어요가, 책을 읽으며 술을
   마실 수 있는 바에 대해 소개한다.

영상소구점

– 술을 마시며 요가를 하는 사람들의 모습.
– 책을 읽으며 술을 즐기는 모습.

<다큐멘터리 예6 : 카멜레존>

시간 7분 6초

소재

공간, 재탄생, 카멜레존

기획의도

온라인에서는 즐길 수 없는 오프라인 체험을 제공하여 온라인 소비를 좋아하는 소비자들을 겨냥해 만들어진 공간, 카멜레존에 대해 얘기하고자 한다.

줄거리

앞으로의 변신이 더 기대되는 공간의 재탄생 '카멜레존'.

'카멜레존' 이란? 카멜레온과 ZONE의 합성어로 카멜레온이 주변 상황에 따라 자유자재로 색상을 바꾸듯이 현대 소비 공간 또한 상황에 따라 용도가 바뀌는 것을 말한다.

언뜻 보면 평범해 보이지만 다양한 협업을 하고 있는 카페, 다양한 음식점의 사장님들이 주방을 사용할 수 있게끔 한 공간을 나눠 주방을 설치한 뒤 월 고정 이용료만 받고 주방을 빌려주는 배달 전문 공유 주방 등 주변에서 볼 수 있는 카멜레존의 모습을 보여준다.

빠르게 변해가는 현대 사회답게 공간도 거기에 따라 변해가며 다양한 가치를 창출하고 있다.

영상소구점

다양한 카멜레존의 모습을 보여주는 장면.

<다큐멘터리 예7 : My Eco Life>

시간 8분 1초

소재

제로웨이스트, 친환경, 미니멀라이프, 재활용

기획의도

환경을 보호하기 위해 쓰레기 배출량을 줄이고자 제로웨이스트샵, 업사이클링 체험을 소개하고자 한다. 또한 여러 화장품 기업의 친환경 캠페인 제도도 추가적으로 소개하여 우리가 제로 웨이스트를 실천하는 방법을 알리고자 한다.

줄거리

1. 코로나 이후 늘어난 쓰레기 배출량 소개
2. 쓰레기 매립장 이야기 (지역갈등, 소각장, 매립지 상황)
3. 국내 폐기물 시장 규모 증가 소개   4. 해양오염 (바다 생명체 관련 기사)
5. 제로 웨이스트 소개 (의미)   6. 제로 웨이스트샵 소개 (알맹상점, 덕분애)
7. 덕분애 사장님 인터뷰   8. 업사이클링 체험 소개 (성수 원점 제로웨이스트샵)
9. 이니스프리 공병공간점, 캠페인 소개 (이니스프리 공병공간점)
10. 공병을 기업에 돌려줘야 하는 이유 (모션)
11. 앞서 보였던 체험 영상과 관련 물품을 다시 보여주고 주제 의식을 전달하며 마무리

영상소구점

제로웨이스트샵에서 친환경 제품을 소개하는 장면

<다큐멘터리 예8 : 희망이 불어오는 곳, 소록도>

시간 16분 45초

소재

소록도 봉사활동

기획의도

한센병 환우분들에게 사랑과 희망을 주기 위해 봉사활동을 갔던 대학생들이 오히려
감사와 희망을 얻고 돌아와 삶을 살아가는 모습을 보여주고자 한다.

줄거리

<서론>
봉사활동을 떠난 청년들은 두려움과 설레는 마음으로 소록도에 도착한다.
<본론>
대학생들이 봉사활동을 하는 모습과 학생들의 당시 상황에 대한 인터뷰가 나온다.
환우분들을 만나 이야기를 나누는 대학생들의 모습이 나오고 온전치 못한 몸을 가지
고 계심에도 불구하고 감사하며 살아가는 모습에 학생들은 큰 감동을 받는다.
<결론>
봉사활동 후 대학생들의 삶이 어떻게 변화되었는지, 무엇을 깨닫고 왔는지에 대한
인터뷰 영상을 보여주며 마무리를 한다.

영상소구점

두려움으로 시작한 봉사활동이 나중에 감사함으로 바뀌는 장면들.

<다큐멘터리 예9 : 나는 바리스타다.>

시간 12분 34초

소재

설리번 프로젝트

기획의도

청각장애인들이 바리스타가 되고자 노력하는 모습과 마침내 바리스타가 되어 열심히 살아가는 모습을 보여주고자 한다.

줄거리

청각장애인 바리스타 양성을 위한 '설리번 프로젝트'가 있다.

어려운 환경 속에서도 많은 청각장애인들이 바리스타가 되기 위해 이곳으로 모여든다.

실제로 장애인 바리스타가 일하는 카페들이 곳곳에 위치해 있다.

그들은 직접 커피를 타서 손님들에게 전해주는 모든 일을 하고 있다. 그들은 일을 하면서 어렵고 힘들었던 적이 많았지만, 자신들의 미래를 포기하지 않는다고 한다.

더불어 설리번 프로젝트에 참여하는 청각장애인들 모두에게 용기를 심어주고 있다.

영상소구점

바리스타가 꿈인 사람들에게 한마디 하는 인터뷰 장면.

2) 교양(Refinement)

교양은 사전적으로 문화에 대한 폭넓은 지식이라고 정의되어지고 방송에서 교양프로그램은 보도, 드라마, 오락, 시사프로그램을 제외한 다른 영역의 프로그램을 교양프로그램이라고 지칭한다.

다시 말해서 교양은 실생활에 필요한 정보나 일반적인 상식, 지식 등을 알기 쉽게 영상으로 보여주는 것을 의미한다.

<교양 예1 : 잊혀진 이름>

<교양 예2 : 당근의 꿈>

<교양 예3 : 트레씨>

<교양 예4 : Watcher>

<교양 예5 : A life of YSL>

<교양 예6 : 이색직업>

<교양 예7 : Chance Maker>

<교양 예8 : MBTI>

<교양 예9 : KARMA>

<교양 예10 : 손짓으로 통하는 언어>

<교양 예11 : 겨레>

<교양 예12 : 초상, 사라진 이들>

<교양 예13 : 귀신날>

<교양 예14 : 디데이>

<교양 예15 : 지구 여행 패키지>

<교양 예16 : Eleventh hour>

<교양 예17 : 푸른 눈의 대한인>

<교양 예18 : 공혈견>

<교양 예19 : 사이비>

<교양 예20 : 가치소비할래>

<교양 예21 : BEE정상회담>

<교양 예22 : 비운의 화가 이중섭>

<교양 예23 : 백설공주>

<교양 예24 : 로코코>

<교양 예25 : 만조상해원경>

<교양 예26 : 한여름 밤의 꿈>

<교양 예1 : 잊혀진 이름>

시간 4분 14초

소재
박차정, 여성 독립운동가

기획의도
조국을 위해 일생을 바쳤던 여성 독립운동가들의 이름. 이제는 찾아 불러줘야 할 때이다.

줄거리
부산 동래구에서 아버지 박용한과 어머니 김맹련 사이에 박차정이 태어난다. 박차정의 집안은 독립운동가 집안으로 어려서부터 남다른 민족의식을 가지고 자라난다. 1924년, 소년 단체 활동이 활발했던 '동래기독교소년회', '동래일신여학교'를 거치며 박차정의 항일의식은 더욱 견고해진다. 이후 박차정은 동래지회에서 핵심 인물로 활동하였고 동래지회의 대의원으로 참석한 전국대회에서 중앙상무의원으로 선임, 선전조직과 출판부의 책임을 맡으며 근우회의 핵심 요원으로 활동한다.
그러던 중 의열단으로 활동하던 박문호의 연락을 받고 중국으로 망명하여 의열단에 합류하게 된다. 그곳에서 여러 활동을 하며 1931년 3월 의열단 단장인 약산 김원봉과 결혼하게 되고 이듬해 2월 곤륜산 전투에 참여했다가 총상을 입고 심각한 후유증에 시달린다. 1944년 5월, 박차정은 그토록 꿈에 그리던 조국을 한 해 앞두고 순국한다.

영상소구점
꿈꾸던 조국 광복을 한해 앞두고 순국하는 장면.

<교양 예2 : 당근의 꿈>

시간 5분 11초

소재
못난이 농산물

기획의도
생김새가 못생겨 상품 가치가 떨어진다는 이유만으로 버려지는 채소들의
이야기를 담고자 하였다.

줄거리
자신의 미래를 상상하며 행복해하는 당근. 다른 당근들과 함께 예쁜 음식으로 만들
어지길 바라지만 생김새가 못생겼다며 다른 곳으로 이송된다. 버려진 줄 알고 슬퍼
하는 당근 옆에 사과가 말을 건다. 자신들처럼 맛과 영향에는 문제가 없지만 크기가
작거나 흠집이 있는 농산물을 '못난이 농산물'이라 부른다고 설명해 준다. 상품의 가
치가 떨어진다고 농산물을 그냥 버리면 생기는 환경 문제들을 알려주고 이런 문제를
적극적으로 활용하려는 움직임을 '푸드리퍼브'라 한다며 푸드리퍼브의 뜻과 진행하
는 여러 활동들, 장점과 단점을 얘기해준다.
자신이 버려진 것이 아니라는 것을 알게 된 당근은, 이후 당근 케이크가 되어 행복
한 비소를 짓는나.

영상소구점
당근 케이크, 당근 주스가 되는 꿈을 꾸지만 다른 곳으로 이송되는 당근의 모습.

<교양 예3 : 트레씨>

시간 4분 55초

소재
쓰레기섬, 환경오염

기획의도
우리가 버린 쓰레기로 만들어진 섬, 쓰레기섬. 쓰레기섬의 문제점을 알리고 이를 해결하고자 하는 사람들의 노력을 전하고자 한다.

줄거리
매해 증가하는 바다 쓰레기가 모여 만들어진 쓰레기섬이 있다. 이 주변 지역에서 잡힌 35%의 어류에게선 플라스틱이 발견됐고 심각한 해수 오염으로 수많은 해양 생물들이 피해를 받고 있다. 어류가 먹은 플라스틱은 결국 먹이사슬을 거쳐 포식자에게 그대로 전달된다는 문제점도 생긴다. 이런 문제점을 해결하기 위해 환경기구에서 만든 바다를 달리는 드론 웨이스트 샤크는 날씨를 체크하고 바다의 오염도를 알 수 있다. 또한 스스로 바다 쓰레기를 건져 버리는 역할을 한다.
육지와 가까이 쓰레기가 모이는 곳에서 쓰이기 좋은 장치, 씨빈도 있다. 펌프를 이용해 물과 쓰레기를 빨아들이고 기름과 물을 걸러 물만 다시 바다로 돌려보내는 이름 바 바다 속 쓰레기통인 셈이다. 이처럼 많은 사람들이 아이디어를 내면서 조금 더 깨끗한 바다를 만들기 위해 노력하고 있다.

영상소구점
어류가 먹은 쓰레기는 결국 인간에게 돌아온다는 것을 알려주는 장면.

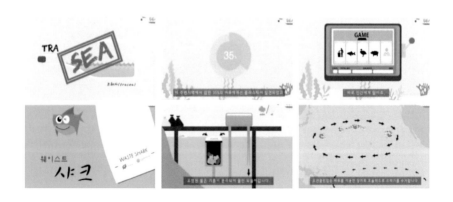

<교양 예4 : Watcher>

시간 4분 22초

소재

AI, 알고리즘

기획의도

알고리즘의 부정적인 영향에 대한 심각성을 알리고 나라와 개인이 취해야 할 자세에 대해 설명한다.

줄거리

AI를 기반으로 한 추천 시스템이 많은 서비스에서 이용되고 있다. 알고리즘의 편리성으로 많은 사람들이 이용을 하고 있는데 이러한 알고리즘 시스템이 점차 사람이 아닌 돈을 위한 시스템으로 사용되고 있다. 이 과정 속에서 이용자들은 자신도 모른 사이에 점점 상품화가 되어가고 있다.

필터버블, 스냅챗 이형증, 플렉스 문화 등 우리가 방심한 틈을 타, 알고리즘은 다양한 부정적 사회 현상들을 불러일으킨다. 그럼에도 많은 IT 기업들은 문제를 개선하지 않고 방관하며 이득을 취하고 있다. 이런 문제점을 해결하기 위해선 국가와 기업의 많은 관심과 노력이 필요하다.

영상소구점

- SNS로 인해 발생하는 심각한 문제들.
- IT 기업들이 아직까지 문제점을 개선하고 있지 않음을 보여주는 장면.

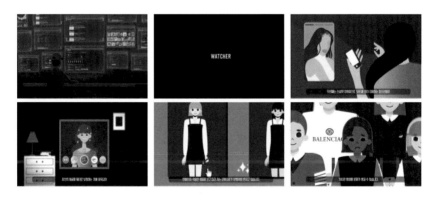

<교양 예5 : A life of YSL>

시간 3분 33초

소재
입생로랑 일대기

기획의도
최초라는 수식어가 가장 많다고 해도 과언이 아닌 세계적인 패션 디자이너
입생로랑의 이야기이다.

줄거리
어릴 적 입생로랑은 동성애자처럼 보인다는 이유로 괴롭힘을 당한다.
그는 또래들과 어울려 놀기보다 엄마와 누나의 드레스나 인형 옷을 디자인하며 위안
을 얻는다. 어릴 적부터 패션에 두각을 나타내기 시작한 입생로랑은 11살 때 우연히
보게 된 연극을 보고 디자이너를 꿈꾸게 된다.
1953년 패션 디자이너 공모전에 스케치를 제출하고 3등을 차지한다. 그가 공모전을
위해 파리에 머무는 동안 보그의 편집장이 그의 스케치를 보고 감명을 받아 입생로
랑에게 '제대로 패션 디자이너가 되어보는 건 어떠냐'라고 묻는다.

영상소구점
입생로랑의 행보를 보여주는 장면.

<교양 예6 : 이색직업>

시간 7분 25초

소재
이색직업

기획의도
우리가 잘 알지 못하던 이색직업에 대해 소개한다.

줄거리
첫 번째 이색직업은 '겨드랑이 냄새 감별사'이다. 이 직업은 1년 내내 다양한 사람들의 겨드랑이 냄새를 맡으며 점수를 매기고 여러 데오드란트 제품을 사용해 향기 지속력, 효능 등을 확인한다. 두 번째 직업은 '골프공 다이버'이다. 장비를 착용한 후 골프장 내, 근처에 있는 워터해저드에 빠진 골프공들을 주워 되파는 일을 한다. 세 번째 직업은 헬리콥터를 이용해 소, 말, 양 등을 모는 직업, '헬리콥터 머스터러'이다. 네 번째 직업은 중국에만 있는 이색직업인 '내연녀 퇴치 전문가'이다. 내연녀를 설득해 떼어내고 가정의 평화를 지킨다 주장하는 이들에게 중국 언론이 붙여준 이름이다. 다섯 번째 이색직업은 '스너글러'이다. 아무런 뜻 없이 말 그대로 다른 사람을 껴안아주거나, 고객의 품에 안겨주는 일을 한다.
현재 대한민국에는 약 1700개의 수많은 직업들이 있다. 실업자의 수가 100만 명인 시대이지만 시야를 넓혀보면 그동안 보지 못했던 나만의 특별한 직업이 보일 수도 있다.

영상소구점
많은 종류의 이색직업을 설명해 주는 장면.

<교양 예7 : Chance Maker>

시간 9분 33초

소재

지구온난화, 모기

기획의도

인간의 욕심과 이기심으로 시작된 온난화. '기회가 왔을 때 바로 잡지 않으면 멀지 않은 미래에 인간은 최후를 맞이하게 될 것이다'라는 심각성을 보여준다.

줄거리

인간은 빠르게 발전한다. 그에 따라 더 많은 탄소를 배출하고 사라지지 않을 쓰레기들이 생겨난다. 인간들은 자신이 발전시킨 문명을 즐기기에 바빴고, 그사이 미처 챙기지 못한 문제가 발생한다. 바로 지구온난화. 이로 인해 각 지역에서는 기후재난이 폭발적으로 일어나고 영원히 녹지 않을 것 같았던 빙하가 녹기 시작한다. 북극권의 영구동토층까지 녹기 시작하면 지구온난화는 가속화를 띈다.

이러한 문제들이 지속되면서 인류는 기후재난으로 집을 잃고 굶주림에 죽거나 여러 가지 이유로 서로를 죽이며 살아가고 결국 모든 희망을 버리기에 이르렀다. 살아남은 인간들은 과거로 돌아가고 싶다고 후회하거나 자신의 선조를 욕하기 바쁘겠지만 과연 돌아간다고 해도 지금의 상황이 크게 달라지지 않을 것이다.

영상소구점

인간이 살아갈 곳이 없어지니, 모기의 개체 수가 늘어나는 장면.

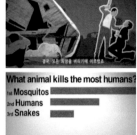

<교양 예8 : MBTI>

시간 6분 59초

소재
MBTI

기획의도
요즘 많은 이들 사이에서 유행하는 MBTI.
정확히 무엇인지 상황을 통해 알아보고자 한다.

줄거리
- E와 I의 차이 : 음식을 시켜 먹으려는 곰과 개. 개는 곰에게 화장실을 다녀올 테니 음식을 주문해 놓으라고 한다. 시간이 흘러 다시 돌아온 개, 곰이 전화 연습을 하고 있는 모습에 놀란다. 그 모습에 답답함을 느낀 개는 결국 자신이 직접 주문을 한다.
- N과 S의 차이 : 수업 시간에 자신이 부자가 돼서 맛있는 음식을 먹고 여행을 가서 노는 모습을 상상하는 돼지. 그런 돼지에게 '그럴 시간에 공부나 해'라고 타이르는 고양이가 있다.
- F와 T의 차이 : 같은 상황이 처해졌을 때 공감을 해주는 곰과 잘못의 유무를 따지는 개.
- J와 P의 차이 : 다 같이 여행을 갔는데 짜놓은 시간표대로 움직이기 위해 돼지에게 빨리 나오라고 하는 고양이와 재밌어서 더 놀고 싶어 하는 돼지의 모습이 보인다.

영상소구점
- 각 mbti 별 연애할 때 특징을 보여주는 장면.
- 동물 친구들의 유형을 보여주는 장면.

<교양 예9 : KARMA>

시간 2분 53초

소재

문명, 파괴

기획의도

동물만이 살아가던 세상에 인간이 탄생하고 문명을 발전시키기 위해 함께 살던 동물들을 잡아 죽인다.

동물들이 살아갈 환경을 잃은 도시에는 쓰레기만이 가득하고 동물은 이제 사람의 장식품이다. 인간들은 돈을 위해 죽고 죽이는 시대에 살아간다.

그와 함께 항상 제자리를 지켜온 동물들은 이 모든 것을 묵묵히 지켜보고 있는데...

줄거리

The beginning of the world (세상의 시작)
The emergence of mankind (인류의 출현)
Development and destruction (개발과 파괴)
Modern times (현대)

영상소구점

- 자연에 살아가던 동물이 철창에 갇혀있는 모습.
- 황금사과를 잡기 위해 손을 뻗을 때 동물들의 새빨간 눈이 나타나는 장면.

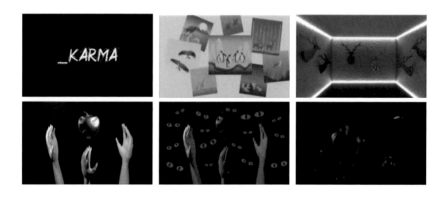

<교양 예10 : 손짓으로 통하는 언어>

시간 4분 25초

소재
손짓과 언어

기획의도
우리가 흔히 쓰는 손 모양 따봉이 다른 나라에서는 좋은 뜻이 아니라는 것을 알고
있었나요? 우리에게는 친근하지만 외국인에게는 불쾌한 표현일 수 있는 손짓으로
통하는 언어를 알아보고자 합니다.

줄거리
전학생 안드레아에게 점심을 같이 먹자며 오케이 손동작을 취하는 남학생에 전학생
은 놀란다. 왜 그런 것일까?
손 모양의 뜻은 각 나라별로 문화가 다른 것처럼 의미 또한 다르다. 앞서 나온 손
모양 오케이는 프랑스에서는 형편없다는 의미를 가진다. 동그라미 모양을 통해 프랑
스와 그리스에서는 똥구멍이라는 욕으로 쓰인다.
그 밖에도 브이는 우리나라에서 긍정적인 의미로 사용되지만 그리스와 터키에서는
손바닥이 보이는 브이를 외설, 경멸, 모욕 등의 의미로 사용한다.
이처럼 각 나라마다 손 모양의 의미가 다르기 때문에 여행을 가서 자신이 알고 있는
손 모양으로 감정을 표현하기 전에 한 번씩 찾아보고 가는 것이 좋을 것이다.

영상소구점
각 나라별 손 모양이 의미하는 것을 알려주는 장면들.

<교양 예11 : 겨레>

시간 8분 24초

소재
고종 독살설

기획의도
고종 독살설의 다양한 증거들을 살펴보고 역사적 실재를 알아보는 것을 넘어서 고종의 죽음이 가져온 정치사적 의미를 전하고 싶었다.

줄거리
프롤로그 - 1919년 1월 21일 고종의 승하 벽보가 붙여지며 고종의 죽음을 알려준다.

서론 - 논란이 많은 다양한 고종 독살설의 키워드를 보여주어 흥미를 유발한 후, 고종이 어떤 왕이었는지 간략히 소개한다.

본론 - 논란이 많은 고종 독살설의 증거를 소개한다.
     1) 윤치호의 일기
     2) 구라토미 일기
     3) 식혜를 올린 두 궁녀의 의문사

결론 - 고종의 죽음 이후 변화된 정치사적 영향을 보여준다.

에필로그 - 고종의 독살설을 기억해야하는 이유를 설명한다.

영상소구점
고종의 죽음이 독살임을 알려주는 장면들

<교양 예12 : 초상, 사라진 이들>

시간 13분 13초

소재
조선시대 여인의 초상화와 유교

기획의도
한국 초상화 전성기라 불리는 조선시대의 여인속 초상화를 찾아보며,
조선 초상화 문화의 한계를 알아보고자 한다.

줄거리
<서론>
조선시대는 우리나라 미술역사상 초상화의 전성기라 불린다. 하지만, 조선의 초상화
에서는 볼 수 없는 인물들이 있으니, 바로 여인들이다.
<본론>
1. 신사임당 초상화
2. 왕비 또한 여인이었음을
3. 하연부부초상
4. 인물화와 초상화 그 사이
5. 의미가 담긴 초상화
<결말>
여성들의 초상화는 당시 여성들의 문화와 미학, 삶을 알아볼 수 있는 귀중한 자료들
이다.

영상소구점
심사임당 초상화는 제작된 적이 없다.

<교양 예13 : 귀신날>

시간 3분 12초

소재
한국 전통 귀신

기획의도
에전부터 많이 들어왔던 민간설화 속 우리나라 전통 귀신의 종류가 다양함을 알리고자 함.

줄거리
한국의 할로윈 데이 1월 16일 '귀신날'
우리나라에도 이런 귀신과 관련된 날을 즐기는 풍습이 있다.
음력 1월 16일은 '귀신날'이라 하여 집안에 귀신이 들거나. 사람에게 귀신이 붙어 다니는 날이라고 한다. 한국 전통 귀신에는 어떤 종류들이 있을까?
1. 두억시니
– '거칠고 우악스럽다'라는 뜻의 두억과 시니(귀신의 옛 우리말)의 합성어
2. 어둑시니
– 어두운 밤에 보이는 헛것을 뜻하는 어둑과 시니의 합성어
3. 영노
– 흉한 얼굴로 양반을 응징하는 귀신

영상소구점
다양한 귀신들의 유래에 대해 설명하는 장면

<교양 예14 : 디데이>

시간 5분 50초

소재
기념일

기획의도
사랑과 웃음, 기쁨을 나누는 기념일의 역사적 의미를 생각해 봤으면 좋겠다.

줄거리
1. 2월 14일 '발렌타인 데이'
– 1909년 10월 26일, 안중근 의사는 하얼빈역에서 이토 히로부미를 처단하고 체포
된다. 그는 1910년 2월 14일에 사형을 선고받는다.
2. 4월 1일 '만우절'
– 1919년 3.1운동의 여파로 휴교령이 내려지자 고향으로 내려가 만세 운동을 주도
했던 유관순 열사가 일본에게 끌려가 투옥된 날. 4월 1일.
3. 11월 11일 '빼빼로 데이'
– 한국 전쟁에 22개국의 유엔군이 참전해 4만 천여 명이 전사하였다. 유엔 묘지에
는 2천3백여 명의 전사자들이 잠들어 있다. 세계가 하나 된다는 뜻으로 1이 6번
들어가는 11월 11일 11시에 유엔 참전용사를 기린다.

영상소구점
즐겁게 즐기는 기념일의 역사적 의미를 알려주는 장면

<교양 예15 : 지구 여행 패키지>

시간 4분 8초

소재

회생 불가의 지구, 지구여행 패키지, 홈쇼핑, 외계인

기획의도

환경오염의 심각성을 알리고 경각심을 주고자 한다.

줄거리

먼 미래에 행성들끼리 여행이 가능해진다는 내용으로 외계인들을 상대로 지구여행을
가는 패키지를 기획하여 홈쇼핑에서 판매하는 영상을 보여준다.
그 영상에서 더이상 돌이킬 수 없을 정도로 오염된 지구의 모습을 보여주어 환경오
염의 심각성을 알리고 시청자들에게 경각심을 준다.

영상소구점

영상을 홈쇼핑 포맷으로 제작한 다양한 장면

<교양 예16 : Eleventh hour>

시간 3분 13초

소재

코로나19 팬데믹, 환경오염

기획의도

인간이 자연환경에 미치는 영향력을 다시금 상기시켜, 경각심을 일깨워주고 진정한
자연과의 공존의 의미를 전달해주기 위해 기획하였다.

줄거리

현재 코로나 시대의 이야기를 시작한다.

현대 사회는 빠른 기후 변화로 인해 환경문제가 심각하지만, 근본적인 해결은 하지 못하
고 있다. 그때 코로나19 팬데믹이 시작되고 지구의 모습이 이전과는 조금씩 달라졌다.
사람들의 행동반경이 줄어들고, 자연 생태계는 다시 회복되어갔으며 본래의 질서를 찾아
가게 된다.

회복되는 모습도 잠시, 이를 대수롭지 않게 여긴 사람들에 의해 지구는 다시 원래의 모
습으로 되돌아간다.

여태까지의 내용이 쓰여 있는 환경 운동가의 일기장이 보이며 끝난다.

영상소구점

코로나19로 인해 잠시 회복했던 자연을 인간들이 다시금 파괴하는 장면

<교양 예17 : 푸른 눈의 대한인>

시간 7분 52초

소재
외국인 독립운동가 어니스트 베델(영국인), 호머 헐버트(미국인), 프랭크 윌리엄 스코필드(영국인)

기획의도
대한민국의 독립을 위해 헌신한 외국인들을 소개하고 독립의 소중함을 생각하고자 기획하였다.

줄거리
대한매일신보의 창시자 (어니스트 토마스 베델), 헤이그 특사 제4의 인물 (호머 베잘렐 헐버트) 34번째 민족대표 (프랭크 윌리엄 스코필드)
-1905년 11월 17일 을사조약
1. 어니스트 베델(영국인)
-1907년 7월, 헤이그 특사
2. 호머 헐버트(미국인)
-1919년 3월 1일, 3.1 운동
3. 프랭크 윌리엄 스코필드(영국인)
- 어니스트 베델, 호머 헐버트, 프랭크 윌리엄 스코필드. 이들은 조국보다 한국을 더 사랑하여 자신도 한국에 묻히길 바랐다.
- 대한민국을 위해 자신의 일생을 바친 푸른 눈의 대한인들. 이들을 기억하고 감사해야 하지 않을까.

영상소구점
대한민국의 독립을 위해 헌신한 외국인들의 업적을 알려주는 장면

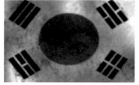

<교양 예18 : 공혈견>

시간 5분 13초

소재
공혈견

기획의도
보호받지 못하고 무분별하게 피만 공급하다 죽는 개들이 있다는 사실을 알려 공혈견의 부담을 덜어내고 처우를 개선하도록 하자.

줄거리
공혈견이란 다친 개에 대한 수술, 개의 심한 출혈과 혈소판 부족 시 혈액을 공급하는 개를 뜻한다.

공혈견은 평생 피를 공급하기 위해 길러졌으나 보호받지 못한 채 존재도 알려지지 않고 죽는다 공혈견은 오로지 피를 공급하기 위해서 태어난 존재가 아니다.

공혈견을 보호하고 공혈견의 부담을 줄이기 위해서는 반려견 가족들의 자발적인 헌혈 참여가 필요하다. 우리 모두 무분별한 희생을 막는 데 있어서 반려견의 적극적인 헌혈이 필요하다

영상소구점
비위생적인 환경에서 피를 뽑히다가 안락사로 생을 마감하는 공혈견의 모습

<교양 예19 : 사이비>

시간 6분 53초

소재
시이비 종교

기획의도
사이비 종교의 종류와 특징, 사회적 문제점들을 알리고 싶어 기획하게 되었다.

줄거리
– 사회적 충격을 일으킨 사이비 종교의 일화 1 (외국 사례)
< 1978년 미국 가이아나주 존스타운의 인민사원 집단자살 사건 >
– 사회적 충격을 일으킨 사이비 종교의 일화 2 (외국 사례)
< 신흥종교단체 '옴진리교'의 1995년 도쿄 지하철 사린 가스 테러 사건 >
– 사회적 충격을 일으킨 사이비 종교의 일화 3 (국내 사례)
<대구 31번 확진 환자를 통해 알려진 '신천지'의 만행>
– 사회적 충격을 일으킨 사이비 종교의 일화 4 (국내 사례)
<'그것이 알고 싶다'를 통해 밝혀진 '은혜로교회'의 실체>
< 사이비에 빠지게 되는 과정 >
<사회에 드러난 각종 만행에도 불구하고 사이비를 처벌할 수 없는 이유>

영상소구점
사이비 종교의 문제점들을 알려주는 장면

<교양 예20 : 가치소비할래>

시간 5분 45초

소재

소비형태

기획의도

MZ세대의 새로운 소비 형태인 미닝아웃을 소개한다. 또한 자신의 가치와 신념을 소비로 실천하는 기업에 대해 소개하고, 함께 실천하기를 도모한다.

줄거리

미닝아웃이란? MZ세대들을 중심으로 유행하는 신조어로 믿음, 신념'이라는 뜻의 'meaning' 과 '벽장에서 나오다(드러내다)' 라는 뜻의 'coming out'-의 합성어로 소비를 통해 개인의 신념과 가치관을 드러내는 새로운 소비 형태를 말한다.
미닝아웃에 적합한 제품을 구매할 수 있는 3가지 기업들을 소개한다.
-부산물을 활용하는 국내 최초 푸드 업사이클링 업체 리하베스트
-화장품 플라스틱 용기를 자가분해 기술을 통해 자연으로 돌려보내는 제로웨이스트 기업 시타
-폐지 줍는 노인에게 학용품 디자이너 일자리를 주고 수익금을 나누는 사회적 기업. 신이어마켙 소개

영상소구점

자신의 가치와 신념을 소비로 실천하는 기업에 대해 소개하는 장면

<교양 예21 : BEE정상회담>

시간 5분 36초

소재
지구의 환경변화로 인해 사라지는 꿀벌

기획의도
2006년 미국 플로리다 주에서 처음 보고된 '꿀벌군집붕괴현상'(CCD·Colony Collapse Disorder)은 지난해 국내에서도 발견되었다. 이것의 원인은 기후 변화와 환경오염, 서식지 감소 등 지구 온난화 현상과 굉장히 밀접해 있으며 꿀벌이 사라지게 된다면 생태계에 어떤 영향을 끼치는지 알리고자 함.

줄거리
1. 캐릭터 소개
2. 회담
쌍벌이 꿀벌이 하는 일에 대해 설명함. 이어서 꿀벌 개체 수가 급격히 감소하는 것에 대해 문제를 제기함. 땡벌이 위와 같은 현상의 근본적 원인을 인간으로 지목함. 노 의원이 벌 대표의 주장에 의문을 가짐. 땡벌이 지구 온난화와 꿀벌의 개체 수 감소의 연관성에 대해 말함. 주 장관이 벌들을 대체할 수 있는 곤충은 많다고 발언. 쌍벌이 꿀벌 개체 수 감소가 생태계에 미치는 영향을 언급. 여왕벌이 해결 방안에 대해 이야기함.
3. 회담 종료

영상소구점
꿀벌들의 의견을 존중하는 척하는 정치인이 꿀벌을 밟아 죽이는 장면

<교양 예22 : 비운의 화가 이중섭>

시간 7분 35초

소재
이중섭 화가

기획의도
이중섭 작품의 빗대어진 민족의 희망과 비운을 담은 이야기들을 소개하기 위해서 제작하게 되었다.

줄거리
유복한 가정에서 자란 이중섭, 어릴 적부터 미술에 재능을 보였고 유복한 집안의 아들인 만큼 일제 강점기 시절 미술을 배우기 위해 일본 유학까지 가게 된다. 일본에서 야마모토 마사코라는 여인을 만나 사랑을 하게 되고 결혼까지 하게 된다. 한국으로 돌아와 결혼식을 올리고 아들 셋을 낳게 되는데, 장남은 감염병으로 1년 만에 사망하게 되었고, 6.25 전쟁이 시작된 후 이중섭의 가족들은 가난한 생활을 하게 된다. 아내와 두 아들을 일본으로 보내게 되며 해방 직후 일본과 국교단절로 인해 이중섭은 가족과 함께 갈 수 없었다. 다시 한국으로 돌아와 가족들과 다시 만날 날을 기약하며 열심히 미술작품을 그려가며 작업에 몰두했지만, 그마저도 실패로 끝나고 이중섭은 각종 질병으로 인해 가족에 대한 그리움만 남긴 채 41세에 사망하게 되었다. 시대를 잘못 만난 화가, 이중섭에 대한 이야기를 해보려고 한다.

영상소구점
이중섭이 가족들과 함께 환상으로 끝나며 행복해하는 모습

<교양 예23 : 백설공주>

시간 4분 27초

소재
백설공주, 잔혹동화

기획의도
우리가 알고 있는 백설공주의 내용은 원작의 내용을 바탕으로 제작된 것으로 원작과 내용이 조금 다르다. 원작의 내용을 콜라주 형식으로 보여주고자 한다.

줄거리
아이가 없던 왕비는 눈처럼 희고 빨간 입술을 가진 아이를 갖기를 원한다. 그 기도가 이루어져 태어난 백설공주의 이야기는 그렇게 시작된다. 왕비는 백설공주가 많은 사랑을 받는 것이 뿌듯했으나, 거울에게서 가장 아름다운 사람이 백설공주라는 대답을 듣고 그녀를 죽이려고 한다. 그러나 사냥꾼의 도움으로 살아남게 된 백설공주는 숲 속 오두막에서 일곱난쟁이와 지내게 된다. 여전히 같은 대답을 하는 거울에 왕비는 백설공주가 죽지 않았음을 알고 독사과로 그녀를 죽인다. 이웃 왕자가 우연히 백설공주를 보고, 자신의 성으로 데려왔는데 사실 그는 시체애호가였다. 키스로 깨어난 공주는 복수를 시작한다.

영상소구점
이웃 나라 왕자가 시체애호가여서 죽은 백설공주를 데리고 가 사랑에 빠지는 장면.

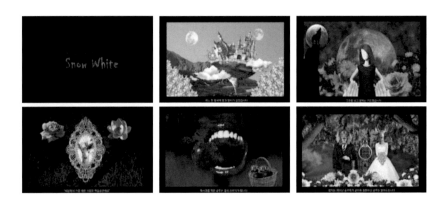

<교양 예24 : 로코코>

시간 9분 2초

소재
로코코 시대, 바로크 시대, 예술 작품, 신고전주의

기획의도
로코코 시대 당시 제작된 명화 및 작품들과 미디어아트 형식을 결합하여 로코코 시대의 역사를 소개하고자 한다.

줄거리
로코코 예술 작품의 특징을 말하며 어떻게 만들어졌을지 궁금증을 자극한다. 로코코를 알기 위해서는 바로크 시대를 이해하는 것이 필요하므로 바로크 시대를 설명한다. 바로크는 루이 14세의 절대왕정을 위해 탄생된 것이지만, 루이 14세가 서거하면서 루이 15세 대신 섭정을 진행한 오를레앙이 파리로 정부를 옮기면서 귀족의 세력이 커지면서 사라지게 되었고, 귀족 세력에 의해 로코코가 탄생하게 되었음을 보여준다. 이제 로코코 시대의 예술 작품과 결합하여 로코코를 자세히 보여준다. 그러나, 귀족들의 예술이라 불리는 로코코는 사실 일반 시민들의 노력에 의해 만들어진 것이라 일반 시민들의 분노는 점점 커져갔고, 결국 혁명이 일어남으로써 로코코가 끝을 맞이한다. 그렇게 로코코의 뒤를 이어 신고전주의가 생기게 되었고 화려함 속에 가려진 진짜 주인공인 일반 시민들을 기억하며 작품을 감상하기를 바란다며 영상은 끝이 난다.

영상소구점
로코코의 화려함 속에 가려진 진짜 주인공은 일반 시민들이었음 알려주는 장면.

<교양 예25 : 만조상해원경>

시간 2분 24초

소재

만조상해원경, 이승과 저승

기획의도

영화 '사도'의 ost '만조상해원경'을 미디어아트 형식으로 제작하였다.

줄거리(노래가사)

금일 영가 저 혼신은 / 혼이라도 오셨으면
만반진수 흠향을 하고 / 일배주로 감응을 하야
살다 남으신 명과 복록은 / 자손궁에 전하시고
송경법사 법문을 받아 / 모질악 자 악심일랑 버리시고
착할선 자 선심을 돌려 / 풍화환란을 제쳐놓고
재수소원 생겨주고 / 왕생극락을 들어가서
인도환생을 하오소서
나무아미타불 x 9
나무아미타불 x 5

영상소구점

사람들을 괴롭히는 악귀의 모습.

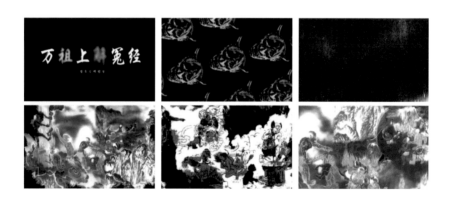

<교양 예26 : 한여름 밤의 꿈>

시간 5분 52초

소재
'한여름 밤의 꿈'

기획의도
명작이라 불리는 셰익스피어의 희곡 '한여름 밤의 꿈'을 대중들이 쉽고 재미있게 접할 수 있고 희곡의 가치를 알아주었으면 하는 바람으로 실루엣 일러스트와 콜라주를 활용하여 이해의 폭을 넓히고 지루하지 않으면서 신비함을 조성하여 사람들에게 인상 깊게 남을 만한 작품을 제작하고 싶어서 기획하게 되었다.

줄거리
라이샌더와 허미야는 서로 사랑하지만 허미야의 아버지는 반대하며 드미트리우스와 결혼하기를 원한다. 두 연인은 도망치기로 하고 헬레나에게 그들의 계획을 이야기한다. 드미트리우스를 짝사랑하던 헬레나는 그의 환심을 사기 위해 그들의 계획을 알리지만 드미트리우스는 그들을 쫓아간다.
그 시간 헬레나의 사랑을 지켜보던 요정왕 오베론은 이를 안타까워하며 요정 신하에게 사랑의 묘약을 아테네 남자에게 바르고 헬레나를 보게 하라고 시킨다. 신하는 요정왕의 말대로 잠이든 라이샌더에게 사랑의 묘약을 바른다. 슬퍼하던 헬레나는 잠이든 라이샌더를 발견하고 그를 깨운다. 그리고 눈을 뜬 라이샌더는 헬레나에게 반해버린다. 헬레나는 당황하여 도망치고 라이샌더는 그녀를 쫓아간다. 잠시 후 혼자 깨어난 허미야는 라이샌더를 찾아 떠난다.

영상소구점
요정이 실수로 라이샌더의 눈에 사랑의 요약을 바르고 사랑에 빠진 라이샌더가 헬레나를 쫓아가는 장면

3) 단편영화(Movie)

영화는 사전적으로 의미가 있는 대상을 카메라로 촬영하여 현실처럼 느끼게 하는 극예술의 하나라고 정의된다.

영화의 종류에는 멜로, 공포, 액션, 코미디, 스릴러, 뮤지컬, 공상 과학, 모험, 애니메이션 영화 등이 있다.

<단편영화 예1 : 챗봇나나>
<단편영화 예2 : 어라운드>
<단편영화 예3 : 내 머릿속에 애벌레가 산다>
<단편영화 예4 : 권태>
<단편영화 예5 : 푸른안구>
<단편영화 예6 : 오늘 준비된 친절이 모두 소진되었습니다>
<단편영화 예7 : 프로아나>
<단편영화 예8 : 시선>
<단편영화 예9 : 또라이 질량 보존의 법칙>
<단편영화 예10 : 기념일>
<단편영화 예11 : 비밀>
<단편영화 예12 : 5분 남았습니다.>

<단편영화 예1 : 챗봇나나>

시간 14분 30초

소재
AI 챗봇, 마약 쿠키

기획의도
AI챗봇이 발달하면서 의존하는 사람도 많아지고 있다. 하지만 AI가 항상 정확한 정보만을 전달하는 것은 아니다. AI과잉 의존의 부작용은 마약과도 같다. '나나'를 마약을 권하는 친구로 비유하여 자신도 모르게 중독될 수 있다는 메시지와 부작용에 대해 알리고자 한다.

줄거리
1.서론> 친구도 없고 아버지의 돌봄을 받지 못해 외로움을 느끼는 원지.
우연히 챗봇나나의 무료 체험 쿠폰을 얻게 된다.
2.본론> 나나의 조언을 통해 우정과 친해지고 나나가 준 쿠키를 먹으며 과장된 행동을 보인다.
3.결말> 나나가 추천해준 쿠키가 마약이었음이 드러난다. 원지에게 배송된 상자에는 마약이 함께 들어있다. 마약에 십하게 중독되어버린 원지는 안 되는 걸 알면서도 마약에 손을 뻗는다.

영상소구점
원지는 자신이 먹던 쿠키가 이상하단 걸 느끼지만 유혹을 이기지 못하고 쿠키를 먹는 장면

<단편영화 예2 : 어라운드>

시간 13분 56초

소재
타임머신, 시간여행

기획의도
CG없이 하나의 특별한 매개체를 통해 판타지적 요소를 보여줌으로써 관객들에게 신선함을 선보이고, 그 안에 반전을 더해 시청하는 이들에게 재미와 여운을 남기고자한다.

줄거리
책상에 앉아 자신이 되돌아가고 싶었던 순간을 정리하는 진서.
그렇게 천천히 과거와 미래를 오고 가며 자신이 원하는 대로 시간을 이동한다.
친구 혜진이 진서를 오해하기 시작하고 해명하지 못한 채 일이 꼬이고 혜진과 사이가 안 좋아진다.
생각지도 못한 부분에서 되돌아갈 수 없음을 인지한 진서는 결국 과거의 자신의 집에서 숨어 살게 된다.
과거를 바꾸더라도 일어날 일은 어떻게든 일어난다.
정해진 일을 틀었을 때, 그에 대한 대가 또한 자신에게로 되돌아오게 된다.

영상소구점
처음 거리에서 스치듯 봤던 사람이 에필로그를 통해 진서 자신이었던 것이 드러나는 장면

<단편영화 예3 : 내 머릿속에 애벌레가 산다>

시간 7분 39초

소재
애벌레와 치매

기획의도
치매라는 병이 애벌레라는 소재로 시각화되면서 시청들이 치매에 대한 이해와 공감을 갖도록. 가족을 잊지 않기 위해 애벌레와 싸우는 주인공의 모습을 통해 슬픔과 감동을 주며 그런 주인공을 방치하고 귀찮아하는 가족들의 행동이 실제 발생하고 있음을 알리고 치매 환자가 홀로 외로운 싸움을 하지 않기를 바라는 마음

줄거리
1일차 - 귓속에 벌레가 들어갔다고 생각한 주인공은 벌레를 빼기 위한 여러 방법을 사용한다.
2일차 - 두통이 시작되자 벌레를 죽이기 위해 이러저리 머리를 박아본다.
3일차 - 주인공은 벌레가 자신의 기억을 갉아먹는다고 생각한다. 가족을 잊지 않기 위해 벽 한쪽에 사진을 붙여둔다.
4일차 - 벽에 붙여 둔 사진이 갉아 먹혀있다. 당황한 주인공은 벌레를 잡기 위해 방을 엉망으로 만들고 문득 잊고 있던 사실 하나가 떠오른다.
젊은 청년이었던 주인공의 모습이 노인으로 바뀌며 치매 환자란 사실이 밝혀진다.
다음날 - 가족들은 주인공을 외면하고 방치한다.
울먹이는 주인공 뒤로 꿈틀거리는 애벌레가 가득하다.

영상소구점
머릿속에 애벌레가 있다고 생각한 주인공이 거울을 보는 장면

<단편영화 예4 : 권태>

시간 11분 1초

소재
유기견

기획의도
일부 책임감 없는 사람들에게 경각심을 주고 싶었다.

줄거리
S#1. 집 안_INT_낮> 열리는 현관문. 남자가 집에 들어오자마자 소파에 앉아 있다가 벌떡 일어나 현관문으로 마중을 나가는 여자. 여자가 가까이 오자마자 남자는 귀찮다는 듯이 여자에게 손사래를 친다.
S#2_차 안> 어디론가 달리는 차. 여자는 조수석에 앉아 세상모르고 자고 있다. 남자(남자1)는 한 손으로 핸들을 잡은 채로 자는 여자를 한 번 쳐다본다.
꽤 멀리 온 듯하다.
S#3_산속_해 질 녘> 남자는 잠든 여자를 안아 들어 산속 깊숙한 곳에 놓고 가버린다. 멀어지는 차의 뒷모습.
S#4_길거리_EXT> 비틀거리며 사람들이 많은 길을 위축된 상태로 걸어가는 여자.
S#5_어느 슈퍼마켓 앞_밤> 몇 시간의 공복으로 인해 배가 고픈지 이끌리듯 한 슈퍼마켓 앞에서 유리창 너머로 음식들을 쳐다보는 여자. 역시 지나가는 사람들 그 누구도 신경 쓰지 않는다. 그때 들리는 클락션 소리와 둔탁한 치이는 소리
여자를 친 자동차는 유유히 그냥 떠나가고, 그 자리엔 차에 치여 피를 흘리고 있는 흰 강아지가 누워있다.

영상소구점
자동차가 치고 간 자리에 흰 강아지가 피를 쏟으며 누워있는 장면.

<단편영화 예5 : 푸른안구>

시간 8분 8초

소재
택배, 안구

기획의도
문학에 익숙하지 않은 현대인들에게 시를 영상화하여 보여줌으로써 흥미를 이끌어
낸다.

줄거리
<서론>
누군가에게 택배가 온다. 상자 안에 들어있는 물건을 확인한다.
<본론>
상자 안에는 품질 보증서와 사용 설명서 그 외의 것들이 들어있다.
주의 사항을 꼼꼼히 읽는 주인공.
상자 안의 쪽지 내용을 따라 안구를 갈아 끼우는 주인공
머리를 식히고 마사지를 하고 라텍스 장갑을 낀 후 안구를 끼워 넣는다.
<결론>
점차 상이 맺히는 눈. 새 안구를 끼고 창밖을 바라보는 주인공.

영상소구점
눈을 갈아 끼우는 장면, 새 안구를 낀 후 창밖을 바라보는 장면

<단편영화 예6 : 오늘 준비된 친절이 모두 소진되었습니다>

시간 7분 10초

소재

진상 손님, 배지

기획의도

책 [감정 기복이 심한 편입니다만]의 한 구절인'오늘 준비된 친절이 모두 소진되었습니다. 다음에 다시 방문해 주세요.'를 인용하여 서비스업의 노고를 블랙 코미디적으로 담아냈다.

줄거리

평소와 다른 것 없이 한적한 카페. 오픈 준비를 하고 있는 한 직원. 다른 카페에서는 보지 못하는 이 카페만의 특별한 배지가 있다.

그 배지는 바로 '친절 배지' /

음료 주문한 지 30초도 안 됐는데 왜 안 나오냐며 화내는 손님, 아메리카노 한 잔을 분할 결제하는 친구 3명. 카페 직원을 상대로 포교 활동을 하는 신천지, 아메리카노 연하게 한 잔과 남은 샷을 달라고 어처구니없는 부탁을 하는 손님, 그리고 다른 카페에서 사 온 음료를 버렸다며 물어내라는 손님. 앞에 진상 손님들에게는 칭찬 배지를 하나씩 사용한다. 이 배지가 모두 쓰여지면 카페 문 앞에 A4용지를 붙인다.

<오늘 준비된 친절이 모두 소진되었습니다. 진상 부릴 거면 오지 마 이 새끼들아.>

영상소구점

A4용지를 문에 붙이는 장면

<단편영화 예7 : 프로아나>

시간 4분 31초

소재

프로아나, 다이어트

기획의도

프로아나 운동의 부정적인 영향을 보여주고자 한다.

줄거리

프로아나를 지향하는 주인공이 강박증에 시달려 먹토(먹고 토하기)를 한다.

자신이 원하는 모습이 담긴 사진들을 보며 더 자극을 받고 강박증에 더욱 시달리지만, 한계가 있는 먹토에 지쳐한다.

다른 프로아나의 성공 방법을 보고 더 편하게 다이어트를 할 수 있는 방법을 찾은 주인공은 학생의 신분에서 구할 수 없는 약을 판매하는 사람을 찾는다.

돈이 부족한 주인공은 돈 대신 조건만남을 제시하는 사람에게 연락을 하게 된다.

영상소구점

주인공이 약을 구하기 위해 조건만남을 제시하는 사람에게 연락하는 장면

<단편영화 예8 : 시선>

시간 10분 8초

소재

시각장애인과 그들의 가족의 삶

기획의도

장애인과 그들 가족의 삶의 고충을 보여주고자 한다.

줄거리

주인공의 엄마가 누군가와 통화를 한다. 통화가 끝난 후 책상 서랍 속 놓인 독촉장들을 보고 한숨을 내쉰 그녀는 종이를 꺼내 무언가 적는다.

앞이 보이지 않는 주인공은 알바생의 도움을 받아 라면을 찾아 결제를 시도한다. 그러나 잔액 부족으로 뜬다는 말에 라면을 하나만 사고 집으로 돌아간다.

집에 돌아온 그녀는 엄마를 부르지만 돌아오는 목소리는 없다. 그녀는 라디오를 켜고, 라면을 끓인다. 다 끓인 라면을 가지고 온 그녀는 라디오를 들으며 엄마를 기다린다.

오랫동안 오지 않는 엄마에게 전화를 걸어보지만, 엄마의 휴대폰 벨소리가 그녀의 근처에서 들린다. 다시 앉아 라디오를 들으며 엄마를 기다리는데...

영상소구점

주인공의 뒤로 스스로 삶을 끝낸 엄마의 모습이 보이는 장면

<단편영화 예9 : 또라이 질량 보존의 법칙>

시간 20분 30초

소재

진상, 무능력자. 얌체

기획의도

어느 조직이나 꼭 존재하는 특정 인물의 모습을 영상으로 표현하기 위함.
속된 말로 우리가 '또라이'라고 부르는 인물이 스스로의 문제를 인식하지 못한 채,
조직 내 또라이를 찾고자 분석하고 있는 모순적인 상황을 표현하고자 함.

줄거리

주인공은 직장 동료들 중에 또라이를 찾으려고 사원(주인공과 동기), 대리, 과장. 부장 순으로 분석한다.
가장 '또라이'라는 단어와 가까운 인물을 찾기 위해, 사원 vs 대리, 대리 vs 과장 등 여러 토너먼트를 통해 2명의 인물과의 결승만을 남겨두고 치열한 분석 끝에 결론을 내리려고 한다.
그러던 중, 부장의 부름에 고개를 들고 부장을 올려다보는 주인공.
결국, 또라이는 다른 동료들이 아닌 업무시간에 딴짓을 하고 있는 본인이었다.
다른 동료들의 경멸하는 눈빛을 받으며 설마..설마.. 하지만...

영상소구점

동료들의 은밀한 비밀이 하나씩 하나씩 밝혀지는 장면들.

<단편영화 예10 : 기념일>

시간 4분 10초

소재

기념일, 목도리

기획의도

어떤 여자가 남자친구와의 기념일을 위해 선물과 저녁식사를 준비하는 것처럼 보이지만 사실은 그 안에 숨겨진 이야기를 보여주고자 한다.

줄거리

남자친구와 다정히 함께 찍은 사진이 보여진 후 여자가 창가에 서서 남자친구와 통화를 한다.
그리고 남자친구와의 기념일을 위해 목도리를 짠다.
시간이 흐른 뒤 여자는 목도리를 완성하고 음식을 준비하기 위해 장을 본다.
음식을 만들고 예쁜 옷을 입고 예쁘게 립스틱을 바른다.
여자는 케이크와 샴페인이 준비되어있는 식탁에 앉아서 케이크에 불을 붙이고 쓸쓸하게 웃는다.
그리고 ...

영상소구점

잘 차려진 식탁에 예쁘게 차려입은 여자가 앉아 쓸쓸히 웃는 장면.

<단편영화 예11 : 비밀>

시간 11분 13초

소재

엘렉트라 콤플렉스

기획의도

많은 가족에서 볼 수 있는 외로움은 늘 아버지의 외로움이고 자녀가 집착하는 사람은 엄마이기 때문에 두 부분을 바꿔놓고 새로운 시선으로 바라보고자 하였다.

줄거리

딸에게 좋아하는 사람이 생겼다.

엄마는 사춘기의 딸이 좋아하는 사람이 생긴 것에 대해 관심을 갖고 물어보지만 딸은 그 질문에 대해 신경질적이다. 엄마의 관심이 딸에게는 구속으로만 느껴진다. 그렇게 과민반응을 하는 딸과 딸이 보이는 이상한 행동에 모녀 사이는 점점 갈등이 심화된다.

엄마는 어린 딸이 혹시 사랑에 상처를 받을까 봐 계속해서 주의를 기울이지만 딸은 그 사랑을 숨긴다.

결국 엄마는 아빠에게 도움을 요청하지만, 아빠는 별일 아닐 거라며 엄마의 얘기를 무시한다.

우연히 엄마는 딸이 좋아하는 사람에 대해 알게 되고 충격에 빠진다.

영상소구점

딸이 좋아하는 남자에 대해 알아채는 장면.

<단편영화 예12 : 5분 남았습니다.>

시간 2분 34초

소재
유기견

기획의도
우리나라에 최근 들어 많이 발생하는 유기견에 대해 풍자적으로 표현해 비판하려는 의도.

줄거리
한가로운 저녁시간에 한 여자아이가 거실의 소파에 앉아서 리모콘을 집어 들고 TV를 켠다. TV에서는 유기견에 대한 뉴스가 나온다. 아이는 그 뉴스를 무표정으로 바라본다. 그리고 다른 채널로 돌린다.

그 화면에서는 유기견으로 만든 보신탕을 판매하는 홈쇼핑이 나온다. 쇼호스트가 나와 서두르는 말투로 유기견으로 만든 보신탕을 판매한다. 테이블 위에는 강아지들이 케이지 안에 있고 그 앞에는 보신탕이 들어있는 포장지와 여러 가지 상품들이 놓여있다. 홈쇼핑이 막바지에 이르렀을 때 다시 TV에서 홈쇼핑이 나오는 장면으로 바뀌고, 아이의 엄마가 식사를 하라며 아이를 부른다. 아이가 식탁으로 가 국을 떠먹으며 씨익 하고 웃는다.

영상소구점
유기견으로 만든 보신탕을 판매하는 장면.

4) 애니메이션(Animation)

애니메이션은 사전적으로 만화나 인형을 이용하여 마치 살아 있는 것처럼 만들어진 영상이라고 정의된다.

제작방식에 따라 페이퍼, 셀, 스톱모션, 샌드, 3D 애니메이션 등이 있다.

<애니메이션 예1 : RUMOR>
<애니메이션 예2 : SEAcret>
<애니메이션 예3 : 헬리콥터>
<애니메이션 예4 : Pizza>
<애니메이션 예5 : Dolls factory>
<애니메이션 예6 : BLAME>
<애니메이션 예7 : In the beginning>
<애니메이션 예8 : Bon Voyage>
<애니메이션 예9 : 당신의 달토끼는 안녕하신가요?>
<애니메이션 예10 : 붉은 꽃신>
<애니메이션 예11 : Hi, Lucky>
<애니메이션 예12 : Tongue Twister>
<애니메이션 예13 : CHARLIE와 초콜릿 공장>
<애니메이션 예14 : 보건교사 안은영>
<애니메이션 예15 : 마녀의 외출>
<애니메이션 예16 : Cell block tango>
<애니메이션 예17 : 과유불급>
<애니메이션 예18 : 화첩 속 이야기>
<애니메이션 예19 : 오즈의 마법사>
<애니메이션 예20 : 무비 다이어리>

<애니메이션 예1 : RUMOR>

시간 4분 14초

소재
괴롭힘, 방관

기획의도
단순한 호기심과 재미로 누군가를 욕하고 비난하는 세상.
하지만 본인이 내뱉은 말은 언젠가 나 자신에게 돌아오게 되어있다.

줄거리
길을 걷고 있는 주인공에게 누군가 '바보'가 적힌 포스트잇을 붙인다. 주인공이 아무런 반응이 없자 다른 동물들도 하나, 둘 주인공에게 욕이 담긴 포스트잇을 붙이기 시작한다.
그렇게 집에 돌아온 주인공. 주인공의 엄마가 안아주자 자신에게 붙어있던 포스트잇들이 엄마에게로 넘어가는 것을 보게 된다.
충격에 빠진 주인공은 결국 극단적인 선택을 하게 되고 동물들은 안타까워하며 주인공에게 따뜻한 말들을 해주지만...

영상소구점
주인공을 추모하는 순간에도 타겟만 바꿔서 누군가를 욕하는 장면.

<애니메이션 예2 : SEAcret>

시간 5분 45초

소재
바다 쓰레기, 환경오염

기획의도
인간이 버린 쓰레기로 인해 환경오염이 발생하고 결국 그 피해는 다른 누구도 아닌 인간들에게 돌아온다.

줄거리
물고기를 잡으러 가는 어선이 있다. 그물망을 이용해 많은 수의 물고기를 한 번에 잡아 올리고 잡은 기념으로 어부 중 한 명이 물고기를 먹게 된다. 하지만 무엇이 잘 못됐는지 물고기를 먹은 어부는 죽게 되고 어선에 같이 타 있던 사람들은 늘 있던 일처럼 죽은 어부를 바다에 버려버린다. 바다에 버려진 어부는 고래에게 잡아먹히고 고래는 다시 사람에게 잡혀 죽음을 맞이한다.

고래를 해부하는 과정에서 사람의 시체가 나왔지만 그럼에도 시중에 팔아 돈을 받는 다.

영상이 끝이 나고 영화관에 있던 사람들은 정체를 알 수 없는 가스에 죽음을 맞이하게 되고 영상의 끝에는 환경오염의 심각성을 알리는 멘트가 나타난다.

영상소구점
1. 물고기를 먹고 쓰러지는 어부
2. 잡은 고래의 뱃속에서 사람의 시체가 나오는 장면.
3. 영화 마지막에 나오는 엔딩 멘트

<애니메이션 예3 : 헬리콥터>

시간 5분 28초

소재

자살, 장기매매

기획의도

현대 사회에서 자살하는 사람들도 늘어나고 있고 장기매매로 실종되는 사람들 또한 늘어나고 있다. 개선되지 않는 사회적 현상을 풍자하고 사람들에게 극적 반전을 주기 위해 이 두 개의 사회적 문제를 하나의 영화로 제작하였다.

줄거리

아름은 건창에게 일을 관두고 싶다며 말을 꺼낸다.

건창은 아름에게 화를 내며 폭행을 한다. 아름은 인터넷 커뮤니티에 '죽고싶다'는 글을 올린다. 잠시 후 소미가 그 글에 댓글을 달며 둘의 연이 이어지게 되며 같이 죽기로 결심한다. 술을 마시고 의식을 잃는다. 잠시 후 건창이 별장으로 들어와 둘을 데리고 나간다. 장기 적출이 끝난 후, 건창은 아무도 없는 별장 뒷산에서 소미를 땅에 묻고 있다. 며칠 후, 아름은 PC방에서 공허한 눈을 뜬 채 인터넷 커뮤니티에 다시 '죽고싶다'는 글을 올린다.

영상소구점

가정 폭력과 데이트 폭력으로 자살하려는 줄 알았는데 장기매매를 위해 미리 짜여진 각본임을 알려주는 장면

<애니메이션 예4 : Pizza>

시간 3분

소재

피자, 3D 캐릭터

기획의도

주인공이 잠에 든 사이 모니터 속에서 일어나고 있는 일들을 재미있게 보여주고자 3D로 기획하였다.

줄거리

바쁜 현대사회 속 작업을 하고 있는 주인공.

주인공은 졸음을 참지 못하고 잠에 든다. 그때 실수로 누른 피자 광고 속 스페치(피자뜨개)가 모니터 속 캐릭터에게 떨어진다.

캐릭터는 TV 속 광고를 통해 이것이 피자에 쓰이는 도구임을 알게 되고 캐릭터는 피자를 만들어 먹는다.

늦은 저녁 주인공이 잠에서 깨어난다. 잠에서 깬 주인공은 모니터 속 피자가 사라지는 모습을 보고 놀란다.

영상소구점

잠결에 모니터 옆 피자 광고를 눌러 스페치(피자뜨개)가 캐릭터에게 떨어지는 장면

<애니메이션 예5 : Dolls factory>

시간 7분 54초

소재
인공지능 인형

기획의도
고급 인공지능 기능과 감정 프로세서를 탑재한 인형이 탄생하게 된다면 일어날법한 애니메이션을 만들어 보고 싶어 기획하게 됨.

줄거리
<서론>
2030 혁신적인 기술을 보유한 공장이 존재한다.
인형에 감정 프로세서를 탑재한 새로운 형태의 인형을 개발하고자 한다.
<본론>
인형을 더 자유롭게 생각하고 감정을 경험하도록 프로그래밍한다.
복시(난폭함, 폭력적)/지니(지능적) / 아트(감성적, 예술적)
세 인형이 연구실 밖으로 나가기 위한 탈출을 계획한다.
탈출 도중 일어나는 상황을 이야기한다.
<결말>
인간들은 인형들이 자아와 감정을 느끼되 자신들의 말에 절대복종하는
순종적인 인형을 만들기 위해 끝없는 실험 중에 있다.

영상소구점
탈출구로 통해 도착한 곳은 새로운 세상처럼 보이는 스크린 앞에 앉아 있는 지니의 모습

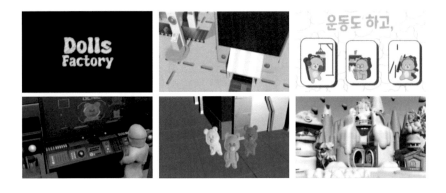

<애니메이션 예6 : Blame>

시간 5분 28초

소재
소문, 선동, 마녀사냥

기획의도
사람들은 하나의 이야기를 가지고 자신이 원하는 대로 해석하고 부풀려서 다른 사람에게 전달한다. 나는 아닐 것이라 생각하지만 나 자신도 모르는 세에 누군가를 차별하고 있을지도 모른다.

줄거리
어느 한 마을에 이사벨이라는 여성이 살았다. 그녀에게는 사랑하는 남편과 아들이 있었다. 하지만 둘은 마을에 떠도는 전염병으로 세상을 떠나게 된다. 슬픔에 잠겨 살아가고 있던 이사벨 앞에 여러 소문이 떠돌기 시작한다. 이사벨의 눈 색이 악마와의 계약으로 이어진 것이며 사실 그녀의 가족은 그녀에게 살해당한 것이라는 소문들이. 그녀는 그것은 사실이 아니라며 해명했지만 사람들은 믿어주지 않았고 결국 마을 사람들의 거짓된 소문과 선동으로 인해 마녀사냥을 당하게 된다.
그리고 얼마 후 그녀가 처형당한 자리 밑에는 그녀의 눈을 닮은 꽃이 핀다.

영상소구점
이사벨의 이야기를 들려주던 아이의 엄마도 결국 소문으로 인해 다른 사람을 차별하고 있음을 보여주는 장면

<애니메이션 예7 : In the beginning>

시간 4분 30초

소재

신들의 전쟁

기획의도

태초의 신부터 그 이후의 신들이 등장하여 인간을 창조하고, 그 사이에서 일어나는
일들을 담고자 하였다.

줄거리

어떤 생명도 존재하지 않는 무의 세계.
그곳에는 오직 혼돈의 바다만이 존재했다.
어느 날 바닥에서는 언덕이 솟아올랐고 태양의 신 '라'가 탄생한다.
그는 여러 신을 탄생시키고 그들과 힘을 합쳐 천지를 창조하였다.
신들은 인간을 빚었다.
인간들은 평화로웠고 신의 보살핌 아래 풍족한 삶을 영위하였다.
그러나 이러한 평화도 잠시 예언의 신의 한마디로 세상은 곧 불안에 휩싸이는데...

영상소구점

예언으로 지하 세계에 갇혀있던 세트가 풀려나고 바깥세상으로 나와 일으킨
비극으로 인해 신들과의 전쟁이 시작되는 장면.

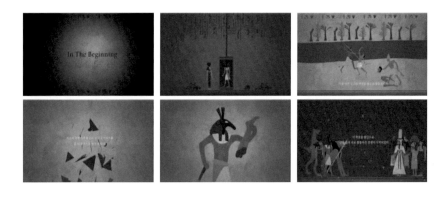

<애니메이션 예8 : Bon Voyage>

시간 2분 53초

소재
우체국, 택배, 여행 및 여정

기획의도
우리는 우체국 택배를 통해 기대감과 더불어 즐거움을 얻곤 한다. 이러한 감정들은 마치 우리가 여행을 갈 때의 마음과 비슷하다. 어떤 풍경이 우리를 기다리고 있을지 생각하며 기대하고 설레듯, 우편과 택배 역시 우리에게 설렘과 기대감을 준다. 우린 이러한 감정들을 택배 박스를 의인화한 캐릭터를 통해 박스의 여정을 보여주며 우체국의 키워드를 전달한다.

줄거리
<서론> 우체국에 주인공 박스를 들고 있는 한 사람이 들어간다. 물건을 맡긴 고객은 우체국을 떠나고 주인공 박스는 만화의 한 장면처럼 몸이 생기며 변신한다.
<본론> 컨베이어 벨트로 함께 들어가는 박스 캐릭터들. 자신이 향해야 할 목적지(송장)를 지정받고 신기해한다. 기쁜 마음으로 함께 여정을 시작하는 박스 캐릭터들 그들은 택배 차량에 탑승한다. 어느새 시간이 지나 수령자 집 앞에 도착한다.
<결론> 도착지에 도착한 주인공 박스는 초인종을 누르고 집 앞에 서 있다. 수령자는 문을 환하게 열고 주인공 박스를 맞이한다. 마지막에는 줌아웃되며 여러 집이 한 화면에 보이고 집마다 감정의 이모션이 올라오며 이야기는 끝이 난다.

영상소구점
주인공의 여행 과정을 보여주고 마침내 목적지에 도착하는 장면

<애니메이션 예9 : 당신의 달토끼는 안녕하신가요?>

시간 4분 58초

소재

달토끼, 행복, 소망

기획의도

과학기술과 사회가 빠른 속도로 발전하며 우리는 침대에 누워서 쇼핑을 할 수도 있고, 말 한마디로 TV를 켜거나 전등을 끌 수도 있다. 그런데 현대인들은 왜 갈수록 불행해져만 가는 걸까. 우리가 잊어버린, 우리가 누릴 수 있던 작은 행복들에 관하여.

줄거리

사람들이 하늘을 올려다보는 횟수를 먹고 사는 달토끼가 있다.
사람들이 하늘을 올려다보면 달급식소의 컴퓨터에 숫자가 카운트되고 일정 숫자에 도달하게 되면 사람들의 소원이 담긴 당근이 나온다.
달토끼가 먹어 치운 당근 속 소원은 무조건 이루어진다.
좀처럼 사람들이 하늘을 올려다보지 않아 달토끼는 하늘을-봐주세요 프로젝트에 돌입한다.

영상소구점

수많은 사람들이 동시에 하늘을 올려다보며 달급식소의 카운트 기계의 숫자가 마구잡이로 올라가는 장면

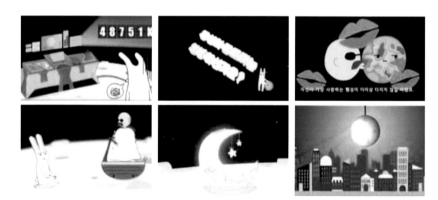

<애니메이션 예10 : 붉은 꽃신>

시간 5분 49초

소재

꽃신

기획의도

원작 동화인 '빨간 구두'의 내용을 조선 시대를 배경으로 새롭게 해석하였다.

줄거리

홀어머니와 살던 소녀는 마을을 돌아다니던 중 감나무를 발견한다. 배가 고팠던 소녀는 감을 먹으러 들어가고 그곳에서는 제사를 준비하고 있었다. 소녀는 제사상 위에 올려져 있는 붉은 꽃신을 발견한다.

무엇에 홀린 듯 붉은 꽃신을 가져온 소녀는 집에 돌아오자 자신의 어머니가 돌아간 것을 알게 된다. 갈 곳을 잃은 소녀는 기방을 찾아가게 되고 기생은 소녀가 탐탁지 않았지만, 자신의 과거가 생각나 받아주게 된다.

어느 날 붉은 꽃신을 신고 동네에 나간 소녀는 공연을 보게 되고 갑자기 자신의 발이 혼자서 춤을 추는 것을 느끼게 되는데...

영상소구점

1. 소녀가 처음으로 꽃신을 발견하는 장면
2. 소녀 대신 잡혀간 기생이 처형을 당하는 장면

<애니메이션 예11 : Hi, Lucky>

시간 3분 18초

소재
반려견, 가족

기획의도
반려견은 한 가족처럼 사람과 더불어 살아가는 개를 가리킵니다. 반려견이 사랑을 베푼 가족에게 행운이 되어 찾아가 가족의 힘과 감동을 주고자 합니다.

줄거리
하이 러키 로고가 등장한다.

강아지 러키가 장난감을 굴리며 가지고 놀고 있다. 강아지 사료가 떨어진 모습을 본 할머니는 식탁 위에 있던 손수건을 챙겨 문을 열고 밖으로 나간다. 커다란 소리에 깜짝 놀라 창문을 본다. [러키는 창문으로 할머니가 실려있는 구급차의 뒷문이 닫히는 광경을 목격한다.]

할머니가 걱정된 러키는 할머니를 만나러 가기로 결심하고, 창문 밖으로 점프해 나간다. 할머니의 냄새를 기억한 러키는 방향을 정하고 달리기 시작한다.

병원 안으로 들어가는 데 성공한 럭키는 정신없는 사람들의 다리 사이를 통과해가며 할머니가 계신 방 앞에 도착한다.

할머니와 러키가 처음 만났을 때의 사진이 벽에 걸려있는 엔딩 크레딧이 나온다.

영상소구점
러키가 할머니를 핥아주고 깨어나는 장면

<애니메이션 예12 : Tongue Twister>

시간 4분 50초

소재
감정노동자, 말(혀)

기획의도
말'로써 폭력과 살인이 가능한 시대가 왔다. 자칫 무거울 수 있는 소재를 애니메이션 기법을 통해 시청자들에게 접근하기 쉽게 풀어보고자 했다. 또, 가상의 세계 속에서 일어나는 일들과 언어의 가시화를 통해 말의 무게를 다시 생각하게 하고 경각심을 일깨워주고자 기획했다.

줄거리
#1. 높은 건물이 즐비한 대도시. 여기저기 상처를 입은 사람들의 모습이 보인다.
주인공 A는 지나가던 행인에게 부딪혀 화를 참지 못하고 행인에게 상처를 준다.
#2. A는 집으로 배송된 물건이 마음에 들지 않아 홈쇼핑 콜센터에 전화 걸어 망치가 된 혀가 날아가 텔레마케터 D의 얼굴을 때리고, 전화를 뚝 끊는다.
#3. 퇴근하고 돌아온 아이E의 얼굴이 손님들의 폭언으로 인해 멍투성이로 가득해져 있다.
#4. 어두운 밤. A는 깊은 잠에 들고, 꿈을 꾼다. 거울 앞의 흉측한 모습을 한 자신의 모습을 보고 충격을 받은 A는 깜짝 놀라 잠에서 깬다.
#5. 도시의 횡단보도에 서 있는 A. 각자 상처를 가지고 있는 사람들 사이에서 위화감 없는 모습이다. 땅을 바라보던 A는 고개를 들어 카메라를 응시한다.

영상소구점
누군가에게 상처만 주던 A가 멍투성이가 되어 카메라를 바라보는 장면.

<애니메이션 예13 : CHARLIE와 초콜릿 공장>

시간 5분 26초

소재

- Movie Animation -
[영화] 찰리와 초콜릿 공장 : 판타지 모험 코미디

기획의도

영화 '찰리와 초콜릿 공장'의 재미있는 장면들을 애니메이션으로 보여주고자 하였다.

줄거리

어느 날, 윌리 윙카가 5개의 윙카 초콜릿에 감춰진 행운의 '황금 티켓'을 찾은 어린이 다섯 명에게 자신의 공장을 공개하고 그 모든 제작과정의 비밀을 보여 주겠다는 선언을 한다. 첫 번째 당첨자는 독일의 먹보 소년 아우구스투스(식욕). 언제나 초콜릿을 입에 달고 사는 소년이다. 두 번째 행운은 뭐든지 원하는 건 손에 넣어야 직성이 풀리는 부잣집 딸 버루카(물욕)에게, 세 번째는 껌 씹기 대회 챔피언인 바이올렛(승부욕)에게 돌아간다. 네 번째 주인공인 마이크(과시욕)는 자신이 얼마나 똑똑한지를 세상에 과시하기 위해 도전에 응해 목적을 달성한 집념의 소유자다. 그리고 마지막!! 눈 쌓인 거리에서 우연히 돈을 주워 윙카 초콜릿을 산 찰리(무욕)가 다섯 번째 황금 티켓을 발견한 주인공이 되었다. 찰리를 제외한 다른 네 명은 한결같이 욕심과 이기심, 승부욕과 과시욕에 눈이 멀어 자꾸만 문제를 일으키는데...

영상소구점

욕심을 부리는 아이들이 문제를 일으키는 장면들.

<애니메이션 예14 : 보건교사 안은영>

시간 5분 1초

소재

정세랑 소설 보건교사 안은영

기획의도

다채로운 색감과 역동적인 모션으로 소설 속의 인물과 젤리들을 재치 있게 표현하여 시각적 즐거움을 주고 독자들에게 호기심을 유발한다.

줄거리

항상 장난감 총과 칼을 들고 다니는 보건교사 안은영.
안은영은 죽었거나 살아있는 것들이 뿜어내는 응집체 같은 젤리들의 세계가
한 겹 더 보인다.
은영이 들고 다니는 비비탄총과 무지개 검에 기운을 입히면 이 젤리들을 없앨 수 있다.
어느 날 학교 지하에 있는 압지석이 우연히 열리고 그곳에서 두꺼비 모양의 괴물이 나온다.
학생들은 혼돈에 빠지고 보건교사 안은영은 동료 교사의 도움으로 괴물을 물리치는데...

영상소구점

동료 선생님의 도움으로 괴물 두꺼비를 물리치는 장면.

<애니메이션 예15 : 마녀의 외출>

시간 3분 51초

소재
마녀와 드라큘라의 데이트

기획의도
데이트를 준비하는 남녀의 모습을 마녀와 드라큘라의 이야기로 표현하고자 하였다.

줄거리
어두운 새벽, 마녀가 일찍부터 일어나 데이트 준비를 한다.
서랍 속 애벌레를 갈아서 피부 화장을, 오징어의 먹물로 눈화장을, 도망가는 쥐를
잡아 입술 화장까지 끝낸 마녀는 드라큘라가 일어났을지 의아해하는 표정을 짓는다.
그때 알람 소리를 듣고 깬 드라큘라는 약속 시간 30분 전에 일어나 외출 준비를 한
다.
그렇게 둘은 블러디 카페에서 만나 데이트를 한다.

영상소구점
-다양한 방법으로 화장을 하는 마녀의 모습
-약속 시간 30분 전에 알람 소리를 듣고 일어나는 드라큘라의 모습

<애니메이션 예16 : Cell block tango>

시간 5분 34초

소재
여섯 수감자들의 이야기

기획의도
영화 '시카고'에 나오는 여성 수감자들의 이야기를 담고자 하였다.

줄거리
Pop! Six! Squish!
Uh Uh! Cicero! Lipschitz! (x4)
And now the 6 merry murderers of the Cook County Jail
in their rendition of the cell block tango
(지금부터 Cook County Jail에 수감 된 여섯 살인범의 공연이 펼쳐집니다)
He had it coming (x2)
He only had himself to blame
If you'd have been there. If you'd have seen it.
I betcha you would have done the same!

영상소구점
(자신들이 만나왔던 남자들이 지나가며)
'Cause if they used us, And they abused us
How could you tell us That we were wrong?

<애니메이션 예17 : 과유불급>

시간 4분

소재
성형

기획의도
성형의 좋은 사례도 있지만, 남들에게 잘 보이기 위해 또는 지나친 욕심으로 인해 자신의 개성을 잃게 되는 나쁜 사례도 있음을 보여주고자 한다.

줄거리
이제 갓 대학생이 된 곰순이는 신입생 환영회에 간다. 신입생 환영회에서 곰순이는 곰돌이에게 첫눈에 반한다. 곰돌이는 같은 신입생 토순이(토끼)에게 귀가 예쁘다며, 멍순이(강아지)에게 눈이 예쁘다며, 코순이(코끼리)에게 코가 예쁘다며 칭찬을 한다. 곰돌이에게 잘 보이고 싶은 곰순이는 토순이의 귀처럼, 멍순이의 눈처럼, 코순이의 코처럼 성형을 한다. 성형 후 곰돌이에게 자신의 얼굴을 보여주며 인사를 한다. 토끼의 귀와 강아지의 눈과 코끼리의 코를 가진 곰순이의 얼굴을 보고 놀라는 곰돌이는 자신이 아는 곰순이가 아니라며 피한다. 곰순이는 자신이 곰순이라며 곰돌이에게 다가가고 곰돌이는 곰순이에게 다가오지 말라며 도망간다. 곰순이는 도망가는 곰돌이를 보며 눈물을 흘린다.

영상소구점
곰순이가 스카프를 벗자 토끼의 귀처럼 길고 쫑긋한 귀가, 강아지의 눈처럼 동그랗고 큰 눈과 코끼리의 크고 긴 코가 드러나는 장면.

<애니메이션 예18 : 화첩 속 이야기>

시간 4분 3초

소재

전통 민화(풍속화)

기획의도

전통 민화(풍속화) 속 이미지의 재구성으로 그림 속에 얽혀 있는 이야기를 보다 실감나게 표현하고, 전통적 느낌의 아름다운 영상 이미지를 보여주고자 한다.

줄거리

\# 1. 월하정인의 담 아래에서 서로 만나지 못하는 두 남녀의 모습

\# 2. 블러로 처리된 영상을 배경으로 세로글씨로 '화첩 속 이야기'가 나타난다.

\# 3. 서당 창문 너머로 남자를 바라보는 여자의 모습

\# 4. 여자가 단옷날 물놀이를 하러 오고 그 모습을 몰래 따라간 남자가 숨어서 여자를 훔쳐본다.

\# 5. 마을에서는 씨름 경기를 하고 있고 그 무리 속에서 만나고 싶어도 같이 만날 수 없는 두 남녀의 모습

\# 6. 드디어 사람들 눈을 피해 만나지만, 얼마 못 가 소를 탄 사람의 등장으로 다시 헤어지는 남녀

\# 7. 매화 피는 어느 날 월하정인의 담 아래에서 다시 만나는 남녀의 모습

영상소구점

서로를 그리워하며 엇갈리는 남녀의 모습들.

<애니메이션 예19 : 오즈의 마법사>

시간 6분 38초

소재
동화책 '오즈의 마법사'

기획의도
'오즈의 마법사' 이야기를 각색하여 서울 경복궁 주변의 다양한 볼거리들을 보여주고 싶었다.

줄거리
'오즈의 마법사' 책이 펼쳐지고 이야기가 전개되기 시작한다.

도로시와 친구들이 동산에서 놀고 있다가 우연히 우물을 발견한다. 우물에서 장난치며 놀다가 도로시와 친구들은 우물에 빠지고 21세기 경복궁 안으로 떨어지게 된다.

서울 도심 속 높은 건물들을 본 도로시와 친구들은 무서워하며 방황을 한다.

도로시와 친구들은 집으로 돌아갈 방법을 찾기 위해 각자 흩어져서 서울 도심을 둘러본다.

서울 곳곳을 둘러보았지만 도로시와 친구들은 집으로 돌아갈 방법을 찾지 못한다. 지친 몸으로 경복궁 돌담길에 모여 앉아 있던 도로시와 친구들은 벽에 걸린 사진을 보다가 고향으로 돌아간다.

영상소구점
동화책의 책장이 넘어가면서 영상이 시작되는 장면.

<애니메이션 예20 : 무비 다이어리>

시간 4분 6초

소재

다이어리, 영화

기획의도

스톱 모션 기법을 사용하여 현실에서는 접할 수 없는 공상적인 느낌의 영상을 구성하고 영화의 명장면을 보여주고자 한다.

줄거리

사람들의 하나둘씩 영화를 보고자 극장으로 모여든다.
'무비 다이어리'란 영화가 시작한다.
영화를 보고 메모해준 다이어리가 있다.
그 다이어리를 펴면 각각의 영화마다 명장면들이 스톱 모션으로 보여진다.
1.해리포터
2.조스
3.007
4.러브 액츄얼리

영상소구점

각각의 영화들마다 독특한 장면들.

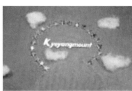

5) 뮤직비디오(Music Video)

뮤직비디오는 사전적으로 음악과 어울리는 영상을 제작하여 음악을 들으며 영상을 감상할 수 있게 만든 영상이라고 정의된다.

뮤직비디오는 다양한 장르와 다양한 제작기법으로 만들어진다.

가수들이 직접 화면에 등장하여 음악에 어울리는 춤이나 퍼포먼스를 보여주는 뮤직비디오가 다수를 차지하지만, 영화나 애니메이션처럼 만들 수도 있다.

<뮤직비디오 예1 : 흔적>

<뮤직비디오 예2 : 밤편지>

<뮤직비디오 예3 : 벌써 12시>

<뮤직비디오 예4 : 아쿠아맨>

<뮤직비디오 예5 : Bad Girls>

<뮤직비디오 예6 : Your dog loves you>

<뮤직비디오 예7 : Circle>

<뮤직비디오 예8 : Boss Bitch>

<뮤직비디오 예9 : Heart Attack>

<뮤직비디오 예10 : If you wonder>

<뮤직비디오 예11 : Like a g6>

<뮤직비디오 예12 : Rainbow>

\<뮤직비디오 예1 : 흔적\>

시간 3분 57초

소재
일제강점기, 독립운동가

기획의도
비와이의 '흔적'은 일제강점기, 일본제국에 뜨겁게 맞섰던 조선의 청년 박열의 삶에서 영감을 얻어 만들어진 곡이다. 2019년 3.1운동 및 대한민국 임시정부 수립 100주년이 되는 해를 기념하여 지난 100년간의 역사의 흐름 가운데 흔적이 된 독립운동가분들의 숭고한 희생정신을 기리고자 기획하였다.

줄거리
수많은 독립운동가분들 가운데 5인의 중심으로 일어났던 역사적 사건과 관련 인물을 큰 흐름으로 하여 영상을 제작한다. 안중근/ 손병희/ 유관순/ 김구/ 윤봉길
1910년 8월 29일 일제가 한일병합조약을 강제로 체결한 사건으로 시작을 표현하며 영상을 시작한다. 타이포와 함께 조약서가 찢겨지고 위로 태극기가 덧붙여진다.
안중근의 이토 히로부미 저격 사건을 타이포와 콜라주 형식의 그래픽을 통해 보여준다.
신문 매체를 이용하여 3.1운동 이전의 역사적 사건들과 후렴구 가사를 타이포와 이미지로 표현한다. 유관순 3.1운동을 콜라주 형식의 그래픽을 이용한다.
1945년 8월 15일 식민통치로부터 벗어나 광복의 날을 815 숫자에 초점을 맞춰 독립운동가들의 활약상을 그래픽으로 표현한다.

영상소구점
광복을 위해 힘써왔던 수많은 독립운동가들의 모습을 보여주고 그 모습들이 모여 태극기가 된다.

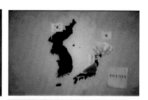

<뮤직비디오 예2 : 밤편지>

시간 6분 3초

소재

학창 시절, 세월호

기획의도

갑작스러운 죽음으로 영원히 10대에 머물러 있는 친구. 친구의 절친이었던 여자의
옛 추억을 덤덤한 듯, 따듯하게 표현하고자 하였다.

줄거리

교실 문 앞에 서 있는 여자. 잠시 망설이다 이내 문을 연다.
그녀의 눈 앞에 펼쳐진 교실은 옛 추억으로 가득한 풍경이었다.
과거의 그 시절을 되돌아보며, 그녀는 당시 친구와 함께 묻어뒀던 타임캡슐을 찾아
서 집으로 가져왔다.
타임캡슐 안에는 함께했던 소중한 사진들과 친구가 남겨둔 편지, 일기들이 있었다.
여자는 당시의 감정과 추억을 되새기다 잠에 든다.
친구와 함께 보기로 했던 사진들과 편지, 일기 등을 가지고 바다로 행한다.
바다를 바라보던 소녀는 잠시 후 신발을 벗고 바다로 들어간다.

영상소구점

타임캡슐에 있던 물건들을 바다로 흘려보내는 장면.

<뮤직비디오 예3 : 벌써 12시>

시간 2분 54초

소재
벌써 12시

기획의도
청하의 '벌써 12시'라는 곡의 뮤직비디오를 콜라주 기법과 로토스코핑을 사용해, 레트로 느낌으로 만들고자 하였다.

줄거리(노래 가사)
Yeah I like it 네가 말을 놓는 것도 / Like it 너의 작은 말투도
나쁘지 않은걸, Boy you know know know know
Like the way 말없이 손을 잡고 / Like the way 조금은 놀래도
싫지가 않은걸 You know boy boy boy boy
물감처럼 파랗던 하늘은 벌써 까맣고
감정은 더 깊어져 yeah I gotta tell you this
우리 둘만 느껴지는 이상한 느낌
나도 너무 좋아 but it's too late
아쉬워 벌써 12시

영상소구점
다양한 표현 기법을 사용한 장면들.

<뮤직비디오 예4 : 아쿠아맨>

시간 2분 22초

소재

아쿠아맨

기획의도

노래 분위기에 맞게 여러 사진들을 가지고 콜라주 형식 뮤직비디오를 만들었다.

줄거리(노래 가사)

어항 속에 갇힌 고기들보다

어쩌면 내가 좀 더 멍청할지 몰라

너가 먹이처럼 던진 문자 몇 통과

너의 부재중 전화는 날 헷갈리게 하지

너의 미모와 옷 입는 스타일로 미루어 보았을 때

너의 어장의 크기는 수족관의 scale

단지 너 하나 때문에

경쟁은 무척 험하고도 아득해

영상소구점

노래 가사에 맞는 여러 콜라주 기법의 이미지들.

<뮤직비디오 예5 : Bad Girls>

시간 3분 29초

소재

'당당한 여자', '나쁜 여자'를 보여주는 뮤직비디오

기획의도

이효리의 'Bad Girls'라는 노래에 맞는 모션 그래픽과 타이포그래피를 이용해, 다채롭고 재미있게 표현하고자 하였다.

줄거리(노래 가사)

화장은 치열하게 머리는 확실하게
허리는 조금 더 졸라매야 해
표정은 알뜰하게 말투는 쫀득하게
행동은 조금 더 신경 써야 해
영화 속 천사 같은 여주인공
그 옆에 더 끌리는 나쁜 여자
Bad bad bad bad girls

영상소구점

-가사 중 '영화 속 천사 같은 여주인공'에 여러 공주들을 등장시켜 낙서하는 장면.
-주인공 눈에서 눈물이 흘러 다트판이 되는 장면.

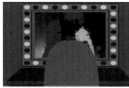

<뮤직비디오 예6 : Your dog loves you>

시간 3분 51초

소재

반려동물

기획의도

반려동물과의 추억과 그들이 우리에게 보여준 순수한 사람에 대한 고마움을 잊지 않기 위해 기획하였다.

줄거리

반려동물과 함께한 일상들을 영상으로 촬영하여 보여준다.
사진과 다이어리를 이용하여 반려동물과의 추억을 써 내려간다.
1절에서는 강아지와 함께한 시간 들을 보여주고,
2절에서는 강아지 용품을 정리하며 마음을 정리하는 모습을 보여준다.
브이로그 형식으로 촬영, 에세이 분위기로 편집하고
타이포그래피를 이용하여 가사를 보여준다.

영상소구점

마주 보면서 앉아 있는 강아지와 주인, 주인 시점의 강아지 모습

<뮤직비디오 예7 : Circle>

시간 3분 43초

소재
고양이

기획의도
지친 사람들의 평범한 삶에 작은 고양이 한 마리가 등장해 사람들을 웃게 하고 위로해 주는 영상을 보면서 고양이 한 마리로도 행복해질 수 있는 바쁜 현대사회에서 행복이란 무엇인가에 대해 되돌아보게 한다.

줄거리
담벼락 위에 여유롭게 앉아 있던 '고양이'가 개찰구를 지나 지하철을 타고, 자전거를 타고 가는 사람의 뒤에 앉는 등, 마치 사람인 것처럼 여러 교통수단을 이용하며 이곳저곳을 여행하듯 돌아다닌다.
평범한 일상을 살아가던 사람들이 갑작스럽고 뻔뻔한 고양이의 등장으로 인해 길을 가던 사람들도 멈추며 쳐다보고 어이없다는 듯 웃음을 짓고 이내 온 거리의 사람들의 얼굴에 행복한 웃음이 가득해진다.
같은 고양이를 만나 인사하기, 혼자 앉아 좌절하고 있는 사람 옆에 앉아 위로해 주는 등 사람들에게 작은 미소를 선물해 준 고양이는 이내 한적한 골목을 지나 정원이 예쁜 주택의 열린 문틈으로 들어가 마루에 앉아 창밖을 바라본다.

영상소구점
고양이와 아기 고양이가 마치 사람들이 인사하는 것처럼 손을 들고 야옹 소리를 내며 인사하는 모습

<뮤직비디오 예8 : Boss Bitch>

시간 2분 33초

소재
'버즈 오브 프레이', 할리 퀸

기획의도
영화 '버즈 오브 프레이'의 ost인 Boss bitch는 여자에 대한 당당함을 표현한 음악
이다. 이 음악을 사용해 히피 스타일의 레트로 느낌을 주어 콜라주와 타이포그래피
형식으로 표현하였다.

줄거리(노래 가사)
I ain't tryna(안 할 건데)　 I ain't tryna(응 줘도 안 해)　 I ain't tryna(갖다 버려)
Yeah, ain't tryna be cool like you(응, 너 같은 건 줘도 안 해)
Wobblin' around in your high-heeled shoes)네 하이힐을 신고 비틀거리면서 돌아
다닐 거야)
I'm clumsy, made friends with the floor(내가 조심성이 없어서, 길바닥에서 친구들
좀 사귀었지)
Two for one, you know a bitch buy four(1번에 2개라, 나같이 미친년처럼 4개는
사줘야지)
And two left feet, you know I always drop(옆으로 두 발, 또 넘어질 것 같네)
First thing a girl did was a bop(우리는 걸음마보다 춤을 더 빨리 뗐어)

영상소구점
첫 도입부에 음악의 리듬에 따라 분위기가 반전되는 부분

<뮤직비디오 예9 : Heart Attack>

시간 3분 47초

소재
사랑, 두근거림, 운명

기획의도
사랑에 점점 빠질수록 심장의 아픔은 더욱 심해지고 생각이 상상으로 변한다. 시간
이 갈수록 심해지는 통증과 커지는 상상력을 표현하고자 한다.

줄거리
첫눈에 반하고 끝내 헤어 나오지 못할 정도로 사랑에 빠진 고통을 순서대로 콜라주
를 사용하여 보여준다.
1) 많은 사람 중 한 사람에게 반함 – 조용한 공간 → 화려한 공간
   (ex. 레드벨벳 – 행복)
2) 점점 사랑에 빠짐 = 하트 어택을 당함, 갈수록 고통의 강도는 세 짐
   (심장에 흉기, 주사(링거, 마약) 등을 꽂음)
3) 사이가 운명임을 말함 = 운명을 보여주는 다양한 캐릭터, 물체로 표현
   (ex. 알라딘, 시애틀의 잠 못 이루는 밤, 타이타닉, 붉은 실 등)
4) 영상 시작과 크레딧에 펭귄과 츄를 넣음

영상소구점
엇갈린 사랑이 마침내 결실을 맺는 장면

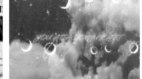

<뮤직비디오 예10 : If you wonder>

시간 3분 30초

소재
로맨틱한 이미지들과 장소들

기획의도
사랑을 속삭이는 아름다운 노래 가사와 이에 어울리는 아름다운 이미지들을 모아 로맨틱하게 사랑을 속삭이는 영상을 만들고자 하였다.

줄거리(노래 가사)
Why I love to give you flowers on a Wednesday, 12 dozen roses at your door.
(왜 내가 수요일마다 12송이의 장미를 당신 집 앞에 두고 가는 걸까요.)
Or even light some candles when you come over for dinner, I wouldn't mind to light a billion more.
(당신이 저녁 식사를 위해 켜놓은 촛불이 수억 개 이상이라 해도 이상하지 않을 거예요.)
Or how I like to wake up and see you with no make up, I'd still give you a ring the way you are.
(내가 어떻게 당신의 화장 안 한 모습도 좋아하는 걸까요, 난 당신의 지금 그대로의 모습에 반지를 주고 싶어요.)

영상소구점
노래와 어울리는 감각적인 장면들.

<뮤직비디오 예11 : Like a g6>

시간 4분 1초

소재

Like A G6 노래 가사에 어울리는 다양한 이미지들

기획의도

반복되는 가사로 자칫 지루할 수 있는 음악을 화려한 시각적 효과를 이용하여 모션 그래픽 뮤직비디오를 만들고자 한다.

줄거리(노래 가사)

Poppin bottles in the ice, like a blizzard
(눈보라가 치는 것처럼 얼음 속의 병을 따서)
When we drink we do it right gettin slizzard
(그것을 마실 때, 우린 술에 취하지)
Sippin sizzurp in my ride, like Three 6 Three 6
(같은 차 속에서 시럽을 마시면)
Now I'm feelin so fly like a G6 / Like a G6, Like a G6
(나는 G6(비행기)를 타고, 나는 것 같은 기분이야)
Now I'm feelin so fly like a G6
(나는 G6(비행기)를 타고, 나는 것 같은 기분이야)

영상소구점

'Poppin bottle in the ice'와 함께 모션 그래픽 영상이 음악과 함께 시작되는 장면

<뮤직비디오 예12 : Rainbow>

시간 3분 31초

소재

노래의 분위기와 어울리는 이미지들과 다양한 편집 효과

기획의도

가사의 분위기에 맞춰, 보다 시각적인 그림과 글자 효과를 이용하여 타이포그래피 뮤직비디오를 제작하고자 하였다.

줄거리(노래 가사)

지난날을 돌아보니 벌써 14년이나 흘렀어
그 녀석 중학생부터 공부도 일등에 상장까지
여학생들의 인기도 항상 독차지 그에 반해 난 똑같지
예나 지금이나 어딜 가든 왕따 못난이
속앓이 하는 내 곁을 항상 지켜주던 너
그녀에게 내 자리를 비켜주면서
원망할 수 있는 권리조차 박탈당해 버린 마음
세상의 눈 밖에 나 버린 마음
절망 속에서 커져만 갈 꺼질 수가 없는 마음 어떻게 할까 어떻게 할까.

영상소구점

'원망', '절망'이라는 단어가 나올 때 글자 위에서 식물의 넝쿨처럼 퍼져나가는 장면.

5) 광고(Advertisement) / 홍보(PR:public relations)

광고는 제품, 서비스 또는 아이디어를 홍보하기 위해 제작된 콘텐츠를 의미한다. 광고는 주로 텔레비전, 영화관, 인터넷, 소셜 미디어 등에서 방영되거나 공유된다.

광고는 다양한 스타일과 형식으로 제작될 수 있다. 실사 촬영, 애니메이션, 모션 그래픽, 스톱 모션 등 다양한 기법을 활용하여 창의적인 아이디어를 표현하고 음악, 내레이션, 자막 등을 활용하여 메시지를 강화할 수 있다.

홍보영상은 기업, 제품, 서비스, 아이디어 등을 대중에게 알리고 긍정적인 이미지를 구축하기 위해 제작된 콘텐츠를 의미한다. 이를 통해 대중과의 상호작용을 도모하고, 인지도와 이해도를 높여 더 많은 사람들이 제품 또는 서비스를 이용하고 지지하도록 유도한다.

<광고 / 홍보 예1 : Safe LMO, Better Life.>
<광고 / 홍보 예2 : 향수>
<광고 / 홍보 예3 : 이거 하나면 돼>
<광고 / 홍보 예4 : 경찰맨과 함께하는 올바른 112 신고 방법>
<광고 / 홍보 예5 : 나미야 잡화점의 기적>
<광고 / 홍보 예6 : 칵테일, 러브, 좀비>
<광고 / 홍보 예7 : 보이는 라디오>
<광고 / 홍보 예8 : A LUSH LIFE>
<광고 / 홍보 예9 : 종로에 미치다>
<광고 / 홍보 예10 : 삐삐까까>
<광고 / 홍보 예11 : 숨겨진 그녀>

\<광고 / 홍보 예1 : Safe LMO, Better Life.\>

시간 2분 50초

소재
시험·연구용 LMO

기획의도
시험·연구용 LMO의 올바른 이용과 안전관리에 대한 사회적 인식 개선 및 안전 문화를 알리기 위함.

줄거리
\<서론\>
- LMO의 예시/LMO란?
- LMO의 장점
1) 농업·식품 분야 2) 축산·의료 분야 3) 환경·에너지 및 산업 분야
- 사고사례
\<본론1\>
* 실험실 안전 수칙/실험 구역 출입/실험 구역 내 활동/생물 안전 확보/폐기물 처리
\<본론2\>
위와 같은 사고를 예방하기 위해 국가 기관들은 많은 노력을 하고 있다.
- lmo 연구 시설, 실험, 수입·수출 허가 및 신고/ 연구 승인 과정
\<엔딩\>

영상소구점
LMO로 인해 사람들이 더 안전해진다는 멘트와 함께 사람들이 행복해하는 장면

<광고 / 홍보 예2 : 향수>

시간 4분 48초

소재
'향수'

기획의도
파트리크 쥐스킨트의 장편소설 '향수'를 홍보하고자 기획하였다.

줄거리
18세기 프랑스, 그라스에서 어린 소녀들이 머리카락이 잘린 채 나신의 시체로 발견되는 전대미문의 살인사건이 일어난다. 이 사건으로 사람들은 두려움에 떨고 살인사건을 해결하기 위해 귀족 회의가 열린다. 의견은 좀처럼 좁혀지지 않았고 그때 누군가 말을 한다. *"놈에게는 목표가 있습니다. 창녀 한 명을 제외한 나머지는 전부 처녀인 채로 죽었습니다. 성폭행은 없었던 걸 보아 그놈은 분명 무언가를 수집하는 것일 겁니다. 여성의 무언가를."*
사실 이 사건의 범인은 바로 '장 바티스트 그르누이'. 그는 후각만으로 만물을 구별할 수 있는 재능을 가지고 있었지만, 자신에게서는 향기가 나지 않는다는 것을 알게된다. 이 때문에 그르누이는 향기에 집착하게 되고 사람의 채취로 향수를 만드는 법을 개발한다. 그가 향수를 만들 때 꼭 필요한 재료가 있었는데 그것은 아름다운 소녀였다. 그의 마지막 목표인 그라스에서 가장 아름다운 여인 '로라'. 범인이 처녀만을 노린다는 것을 알게 된 그녀의 아버지는 그녀의 결혼을 앞당기려 하고 로라를 외딴 섬으로 보낸다. 이 사실을 눈치채고 후각으로 그녀의 뒤를 쫓는 그르누이는 과연자신의 마지막 향수를 완성할 수 있을 것인가.

영상소구점
외딴섬으로 도망간 로라를 눈치채고 후각으로 쫓아가려는 그르누이의 모습.

<광고 / 홍보 예3 : 이거 하나면 돼>

시간 3분 30초

소재
모바일 면허증

기획의도
국내에 도입된 모바일 신분증과 모바일 면허증 발급 방법과 사용 방법을 알리기 위해 기획함

줄거리
<서론> 피시방에서 게임을 하고 있는 친구들과 주인공
친구들과 피시방에서 게임을 하고 있는 주인공의 상황을 통해 모바일 신분증 앱의 편리성을 보여준다
<본론> 모바일 신분증에 대해 설명 – 등록 방법 –개인정보 보호 / 나의 QR, QR 촬영 / 블록체인 기술 설명 캐릭터 등장 DID 설명 / 활용 사례
<결론> 간편결제에 모바일 신분증이 더해지면서 지갑 없이 스마트폰만 들고 다녀도 되는 시대가 되었다. – 주인공의 활용 사례를 설명하면서 모바일 신분증 예시

영상소구점
친구와 주인공이 모바일 신분증을 보여주며 지나치는 장면
<엽기적인 그녀 패러디>

<광고 / 홍보 예4 : 경찰맨과 함께하는 올바른 112 신고 방법>

시간 2분 20초

소재

경찰

기획의도

경찰에 신고하는 것을 고민하고 어려워하는 사람들에게 정확한 신고 방법을 알려주고자 영상을 기획하였다.

줄거리

지구를 안전하게 지키는 '경찰맨'.

길을 걷다 수상한 사람을 봤다는 남자에게 전화를 건다.

경찰맨은 사소한 신고도 범인을 검거하는데 중요한 실마리가 되니 수상한 사람이 보일 시, 지체 말고 신고해야 한다고 말한다.

안전 문자에 적힌 내용과 자신이 본 인물이 일치할 시 112에 신고하여 자신이 있는 정확한 위치와 현재 상황을 자세히 알려 신고한다고 알려준다.

또한 있지 아니한 범죄나 재해 사실을 공무원에게 거짓으로 신고할 시에 벌금, 구류 또는 과료의 형으로 처벌할 수 있음을 알려준다.

영상소구점

다양한 상황에 정확한 신고 방법을 알려주는 장면.

<광고 / 홍보 예5 : 나미야 잡화점의 기적>

시간 4분 19초

소재
'나미야 잡화점의 기적'

기획의도
히가시노 게이고의 유명 소설책 '나미야 잡화점의 기적'을 홍보하고자 한다.

줄거리
평소와 같이 도둑질을 끝내고 먼지 쌓인 잡화점에 숨어든 3인조 도둑 쇼타, 고헤이, 아츠야.

세 사람은 몸을 숨긴 채 잠시 숨을 돌린다. 그때, 반대편 쪽에서 이상한 소리가 들려온다. 숨을 죽인 채 철문을 바라보는 셋. 정적 속 우편함을 통해 편지 한 장이 들어온다. 겁에 질린 셋은 경찰에 걸린 건 아닐까 걱정한다. 아츠야가 밖으로 나와보지만 길거리에는 아무도 없었다. 안심하고 돌아온 아츠야는 고헤이가 찾은 잡지를 함께 본다. 잡지에는 이 잡화점과 관련된 내용이 적혀있었다. 고민이 적힌 편지를 이 잡화점 우편함에 넣고 다음날 찾아오면 답장을 받을 수 있다는 내용이었다. 아츠야는 편지를 읽고 핸드폰으로 무언가를 찾던 쇼타는 고헤이, 아츠야에게 핸드폰 속 내용을 보여준다. 편지 속 인물 존 레논은 30년 전에 죽었다는 내용을. 비현실적인 상황에 고민하지만 결국 셋은 편지에 답장을 써준다.

과연 이 잡화점에는 어떤 비밀이 숨겨져 있을까?

영상소구점
편지에 적혀있는 인물이 30년 전에 죽은 존 레논이었다는 사실을 알게 된 셋.

<광고 / 홍보 예6 : 칵테일, 러브, 좀비>

시간 5분 4초

소재

'칵테일, 러브, 좀비'

기획의도

4개의 단편으로 구성되어 있는 조예은 작가의 '칵테일 러브 좀비'라는 책을
알리기 위해 기획하였다.

줄거리

평소와 다름없는 아침이었다. 겉으로 보기에는.
창백한 안색의 아빠는 느리게 눈을 끔뻑이며 빈 그릇에 헛숟가락질을 하고 있었다.
눈에 초점이라곤 없었고, 그의 주위에서는 쉰내가 풍겨왔다. 엄마는 좀비인 아빠의
모습에 이상함을 느끼지 않았다. 하루아침에 아빠가 감염경로도 모른 채 좀비가 되
었다. 점점 진짜 좀비가 되어가는 아빠의 모습에 엄마와 나는 다용도실에서 꺼낸 빗
줄과 테이프로 식탁에 앉은 아빠를 꽁꽁 묶어 안방에 집어넣었다.
텔레비전에서는 긴급 속보로 좀비의 감염경로가 발표됐다. 강남의 한 국밥집에서 제
공한 뱀술이 원인이었다. 결국 술 때문에 이 사단이 일어났다는 것을 알게 된 나는
잠시 허탈한 웃음을 지었지만, 이내 결심한 표정으로 엄마에게 다가가 말했다.
"엄마. 우리, 아빠 보내주자"

영상소구점

좀비의 모습으로 엄마에게 해를 입히려는 아빠의 모습.

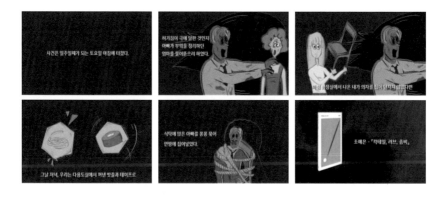

<광고 / 홍보 예7 : 보이는 라디오>

시간 3분 10초

소재

소비생활, 코로나

기획의도

자신의 소비생활을 공유하고 도움을 받고자 하는 사람들의 사연을 읽어주는
보이는 라디오가 진행된다.

줄거리

- 첫 번째 사연 : 자취 3년 차 직장인인 [프로 재택러]님은 코로나로 인해 재택근무
  를 하는 날이 많아지며 집에서 밥을 해 먹긴 귀찮고 밖으로 나가자니 걱정돼서 배
  달 앱을 이용하게 됐다. 배달을 먹을 때는 좋지만 그 뒤에 생겨나는 플라스틱 쓰
  레기들을 보면 마음이 불편해진다. 플라스틱 쓰레기를 버리는 방법이 있을까?
- 두 번째 사연 : 쇼핑을 사랑하는 평범한 20대 [구매 가보자고]님은 코로나 때문에
  집에만 있다 보니 충동적으로 온라인 소비를 하는 날이 많아졌다. 마음이 허해서
  그런지 물질적인 걸로 자꾸 채우고만 싶어지는 것 같다. 좀 더 합리적인 상품을
  고르고 슬기롭게 쇼핑하는 방법이 있을까?

영상소구점

사람들의 사연에 피드백을 해주는 장면.

<광고 / 홍보 예8 : A LUSH LIFE>

시간 1분 40초

소재
LUSH, 핸드 메이드

기획의도
영국계 핸드메이드 화장품 회사 'LUSH'를 광고하기 위한 목적으로 제작하였다.

줄거리
이곳은 LUSH 스토어입니다. 이곳에는 입욕제, 바디로션 등 여러 가지 제품이 있는데요, 다양한 사람들이 모여 제품을 고르고 있습니다.
유기농 재료를 이용하여 제품을 만들어 온 영국계 핸드메이드 화장품 회사 'LUSH'
우리는 가장 깨끗하고 신선한 과일과 채소를 사용합니다.
이곳은 우리가 제품을 생산하는 '러쉬 키친'입니다. 화장품을 음식처럼 건강하고 신선하게 만들어야 한다는 우리의 믿음에서 비롯되었는데요.
고객이 행복해질 수 있는 핸드메이드 제품을 만듭니다.
LUSH는 동물과 환경, 그리고 사람이 조화롭게 공존하는 세상입니다.

영상소구점
-입욕제를 따다가 떨어지며 욕조 속으로 빠지는 장면.
-마지막에 동물들과 인간이 함께 평화롭게 살아가는 장면.

<광고 / 홍보 예9 : 종로에 미치다>

시간 3분 38초

소재

종로, 놀거리

기획의도

역사와 현대가 어울려 있는 이곳, 종로구. 많은 이들이 오가는 서울 속 종로에서만
즐길 수 있는 놀거리와 볼거리들을 소개하고자 한다.

줄거리

조선 시대에 지어진 5대 궁궐 중 가장 으뜸이라고 할 수 있는 '경복궁'. 크고 웅장함
을 지닌 경복궁은 한복을 입고 들어가면 무료로 즐길 수 있다.
서울에서 가장 오래된 곳이자 한옥마을로 유명한 익선동은 옛것을 리모델링하여 컨
셉있는 카페, 음식점들이 생기면서 사람들의 발길이 끊이지 않는 동네이다.
특히 젊은 층이 좋아하는 분위기의 동네로, SNS 핫플로 등극하였다.
그 외에도 인사동 최초 문화 복합 공간인 컬러풀 뮤지엄, 벽화마을, 과거와 현재가
어울려져 있는 특별한 공간의 느낌을 주는 낙산 공원이 있다.

영상소구점

인트로에서 종로구를 소개하는 장면.

<광고 / 홍보 예10 : 삐삐까까>

시간 3분 47초

소재
라디오 속 사연

기획의도
SBS 라디오 '컬투쇼'에서 소개된 삐삐까까라는 제목의 사연을 애니메이션으로 제작하여 시청자들에게 즐거움을 주고자 한다.

줄거리
얼마 전 단체관광 패키지로 여행을 떠난 주인공. 그중 가장 나이가 많은 사람은 환갑잔치 대신 여행을 온 두 자매 할머니였다. 할머니들은 요실금이 있었는지 화장실을 자주 찾아갔다. 그런데 유럽은 가는 곳마다 화장실 요금을 받았고 참다못한 할머니들은 불만을 표출했다. 그 소리에 가이드가 할머니들에게 영업 비밀을 하나 알려주게 된다. 로마 말로 소변은 '삐삐', 대변은 '까까'라고 알려주며 마지막 코스인 로마 여행 때 아무 카페나 들어가 종업원에게 부탁을 해보라고 얘기한다. 그렇게 무사히 여행을 마치고 일본을 경유해서 돌아오는 비행기를 탄 후 일본 공항에서 한국 가는 비행기를 기다리는데 갑자기 자매 할머니가 공항 면세점 창구로 달려가더니 번갈아 앞뒤를 잡으며 "삐삐까까!!!"를 외쳤다. 하지만 알아듣지 못한 일본인 직원은 한참을 고민하다가 무언가 깨달은 듯 할머니들의 손을 잡고 달려가 친절하게 피카츄 캐릭터 매장으로 데려다주었다.

영상소구점
일본인 직원이 삐삐까까의 뜻이 피카츄를 의미하는 줄 알고 할머니들을 캐릭터 매장으로 데려다주는 장면.

<광고 / 홍보 예11 : 숨겨진 그녀>

시간 8분

소재
세라 워터스의 소설이자 박착욱 감독의 영화 '아가씨'의 원작 '핑거스미스'

기획의도
청소년 관람불가 영화 중 관객 수 1위를 차지한 '아가씨'의 반전이 원작에서는 더욱 자극적이고 허를 찌른다는 것과 다는 결말로 향한다는 것을 홍보하기 위하여.

줄거리
1. 영화 '아가씨'의 영상이 흘러나온다.
2. 그 장면에서 화면이 정지되고 '만약 정말 숙희가 아가씨에게 속아 정신병원에 보내졌다면?'이라는 큰 타이포가 나온다.
3. 드라마 '핑거스미스'의 주인공 '수'가 정신병원에 보내지는 장면이 나온다.
4. 검은 장면으로 전환되고 큰 저택이 나온다.
5. '핑거스미스'의 등장인물이 나온다
6. 이야기의 줄거리가 나온다.
7. 아가씨에는 없는 가장 큰 반전에 대한 궁금증을 준다.
8. '핑거스미스' 책 이미지와 제목이 큰 타이포로 나오면서 영상이 마무리된다.

영상소구점
영국 드라마 '핑거스미스'가 나오는 장면

<참고 자료>
영상제작의 미학적 원리와 방법
글로벌 시대의 광고와 사회
방송제작론
동영상디자인
영상제작론
다큐멘터리 제작론
이영돈 PD의 TV프로그램 기획 제작론
프로덕션 디자인
광고의 이해
방송 기획제작의 기초
디지털 영화 제작
방송학개론
방송영상학 개론
CF제작론

네이버 지식백과 사전
다음 어학사전

<참고 영상>
인셉션
노예 12년
엘리시움
벤자민 버튼의 시간은 거꾸로 간다.
노인을 위한 나라는 없다.
장고
24시
킬빌
원티드
클라우드 아틀라스
레지던트 이블
다크나이트 비긴즈